L'Art de Michel Butor

L'Art de Michel Butor

CLAUDE BOOK-SENNINGER
University of New Mexico

JACK KOLBERT
University of New Mexico

NEW YORK

Oxford University Press

LONDON 1970 TORONTO

Preliminary Note

This anthology of writings by Michel Butor can be used in a number of ways. In the first place, it is designed to serve as a teaching tool in fourth-semester college courses where students have normally developed sufficient linguistic competence to deal with some of the most sophisticated French prose published recently. Because of its relative brevity, the anthology can be covered in four or five weeks, so that instructors may feel free to add other kinds of reading and grammatical materials.

Second, this book may be used as a required reader in advanced period and topical courses in French literature. It could well fit into the final portion of a course devoted to twentieth-century literature, or it could be read in courses which deal with the development of prose fiction and critical theory.

The anthology should also be thought of as a collection of Butor's work in its own right. Butor's unique style, and his theoretical pronouncements and preoccupations combine to make him an important representative of contemporary French letters. Two of the selections, "La Boue à Séoul" and "La Pluie à Angkor," were written by M. Butor expressly for this book. They are his first short stories.

All critical discussions and prefaces have been written in French, under the assumption that readers who are able to read Butor in the original ought also to read about him in his own language. A number of varied exercises have been added to help the instructor teach reading, writing, conversation, and vocabulary. Each of the readings is followed by questions calling for concise responses based on reading comprehension. We have also included general questions designed to evoke class discussion or serve as the basis for brief written compositions. Several *thèmes d'imitation* follow the time-honored method of teaching students to write through direct translations based on the content and vocabulary of the texts studied. There are also throughout the text a number of brief vocabulary and verbal exercises that should make the students more aware of Butor's special linguistic practices and also aid them to broaden their own vocabularies. Such a variety of exercises indicates the editors' philosophy of eclecticism in classroom methodology. Individual instructors will no doubt want to make their own choices from among those we have included.

We have selected passages from virtually every kind of literary genre in which Butor has written: key chapters from two of his major novels, *L'Emploi du temps* and *La Modification;* short stories; criticism; autobiography; travel-literature; and mixed genres, in which all of these have been blended into a new kind of prose. The passages have been arranged with three factors in mind: the chronology of their publication; the desirability of placing works of the same genre together; and the level of reading difficulty. For this last reason, we have placed *La Modification,* with its relatively involved vocabulary, at the very end. Also, it seemed fitting to close with what has generally been regarded as Butor's finest single work. The two short stories that follow the critical essays from *Répertoire and Répertoire II* illustrate clearly the application of the critical theories outlined by Butor in the previous passages. *Réseau aérien, Mobile, Description de San Marco,* and *Portrait de l'artiste en jeune singe* seem to belong together for they demonstrate Butor's interest in travel and tourism.

We have attempted to clarify those idiomatic constructions, proper names, and unusual word usages which require special explanations, without encumbering our book with an excessive array of footnotes. The glossary includes those terms which fall outside the domain of the eight hundred basic words of *Le Français Fondamental.*

We wish to express our thanks to M. Butor for generously providing us with advice and patient understanding during the period of preparation of this anthology. We are grateful also

to Professor Truett Book of the University of New Mexico for
his willingness to reread our manuscript and notes, and to Miss
Joan Goodman, graduate assistant in French at the same university, who during the latter stages helped in the typing chores.
Finally, we are grateful to Ruth Kolbert simply because she was
there when we needed her presence.

Albuquerque, New Mexico   C. B.-S.
July 1969   J. K.

Contents

Contents

Introduction

Michel Butor, né le 14 septembre 1926, dans le petit village de Mons-en-Barœul, proche de l'importante ville industrielle de Lille, dans le département du Nord, fit ses études secondaires à Paris au lycée Louis-le-Grand, une des institutions secondaires les plus connues de la France. Il entreprit alors des études supérieures à la Sorbonne, où il compléta sa licence-ès-lettres et écrivit un diplôme d'études supérieures en philosophie.[1]

Muni de ces parchemins, il commença alors une carrière de professeur et obtint en 1952 un poste au lycée de Sens. Mais, doué d'une immense curiosité et impatient de prendre directement contact avec les pays sur lesquels il s'était déjà documenté et qui allaient jouer un rôle si important dans ses propres livres, il brigua une nomination de professeur à l'étranger. Il fut, en effet, assistant dans le département de français de l'université de Manchester pendant deux ans (1951-53). Sa carrière de professeur le mena alors successivement à Salonique, en Grèce (1954-55), puis à Genève, pendant l'année 1956-57.

Ces voyages dans des pays au climat, à la culture et à la civilisation si variés firent éclore en lui un besoin de se raconter qui est inhérent à tout écrivain de grande classe. C'est ainsi que le roman de *L'Emploi du temps* (1956) reflète certains moments de la vie de Michel Butor en Angleterre, tandis que *Le Génie du lieu*, série d'essais de voyages, reproduit plus fidèlement encore les réactions de l'auteur mis en contact avec les civilisations du bassin méditerranéen.

1. La licence serait à peu de choses près l'équivalent du M.A. aux États-Unis, tandis que le diplôme d'Études Supérieures représenterait une étape à mi-chemin entre le M.A. et le Doctorat.

En 1957, il publia son roman le plus connu, *La Modification,* pour lequel il fut couronné par le jury du prix littéraire Théophraste Renaudot.

Après des débuts dans les lettres consacrés plus particulièrement au genre romanesque et à la poésie, il se tourna de plus en plus vers la critique littéraire et artistique. Son premier grand recueil d'essais, *Répertoire,* lui valut en 1960 d'être lauréat du Grand Prix de la Critique. Traduits dans toutes les langues importantes du monde, ses romans sont beaucoup lus. Ainsi la réputation de Michel Butor est maintenant bien établie sur tous les continents, avant tout parmi le public lettré. Il fut invité plusieurs fois à enseigner dans des universités américaines telles que Bryn Mawr, Middlebury et l'université de Buffalo. Pendant ses séjours aux États-Unis Butor entreprit des tournées de conférences et fut reçu avec enthousiasme par le public universitaire américain. Les sujets qu'il affectionne surtout ont trait aux rapports qui existent entre la création littéraire et la critique, questions qu'il est particulièrement bien placé pour traiter à cause du caractère double de ses travaux.

Pendant l'année 1964, année cruciale s'il en fut pour la tension qui existait entre Berlin Est et Ouest, Butor reçut une bourse spéciale de la Fondation Ford pour aller étudier en observateur objectif les problèmes créés par la situation presque sans précédent d'un Berlin divisé en deux par le Mur.

Pendant un an, le romancier vécut de la vie du Berlinois de l'Ouest, en compagnie d'un groupe international d'artistes de tous genres, utilisant la ville comme un point particulièrement sensible, comme une membrane capable d'enregistrer les vibrations de deux nations—la Russie et l'Allemagne—qui avaient la volonté de s'accommoder à tout prix d'une situation théoriquement invivable.[2]

A la fin de l'année 1966, il fut invité à venir faire des visites culturelles en Orient et plus particulièrement au Japon.

Marié en 1958, Michel Butor a quatre enfants et habite actuel-

2. Cf. Michel Butor, *Regard double sur Berlin, L'Express,* 10 janvier 1965, p. 53.

lement dans la banlieue sud de Paris. Il passe souvent des
vacances studieuses sur la côte française ou dans le Massif
Central.

Michel Butor est, à l'heure actuelle, un des plus connus des
jeunes romanciers français. Avec son roman *La Modification*,
c'est probablement l'auteur le plus lu du groupe de romanciers
que les critiques désignent sous le nom du "Nouveau Roman".

Michel Butor commença sa carrière dans les lettres il y a
une dizaine d'années environ. Il a déjà publié bon nombre
d'ouvrages. Aux romans que nous avons cités, *L'Emploi du
temps* et *La Modification*, il convient d'ajouter *Le Passage de
Milan* (1954) et *Degrés* (1960).

La conception du roman chez Michel Butor est tout à fait
originale. Bien qu'on le considère actuellement comme faisant
partie du groupe des "nouveaux romanciers" dont Nathalie
Sarraute, Alain Robbe-Grillet, Claude Simon et Claude Mauriac
sont les plus illustres représentants, Butor se situe suffisamment
à part pour qu'on puisse comprendre sa répugnance à se voir
classé dans cette catégorie ou dans n'importe quelle autre catégorie, car il est essentiellement un esprit libre.

On a parfois appelé ce groupe littéraire "l'école du regard".
En effet, ces auteurs ont peut-être un point commun: tous ont
l'air d'être fasciné par l'énorme quantité des choses qui remplis-
sent l'atmosphère au milieu de laquelle vit l'homme moderne.
Dans l'abondance matérielle d'aujourd'hui l'on n'a qu'à entrer
dans un super-marché ou dans un grand magasin pour être
entouré par des multiplicités d'articles, d'objets et de paquets
de toutes sortes. Les auteurs tâchent de dépeindre les rapports
entre l'homme et ces choses, telles qu'elles se présentent à l'œil
humain. Quelquefois ces choses prennent une importance si
démesurée que les personnages semblent s'effacer derrière elles.
Ceci n'est certes pas le cas pour Butor: celui-ci ne décrit sans
relâche les objets que pour mieux faire comprendre la démarche
de la pensée de l'être humain. L'objet est un instrument par
lequel l'auteur élucide la conduite de ses personnages. Plus intellectuel mais peut-être moins obsédé par les questions d'esthétique
que Robbe-Grillet, Butor interroge inlassablement les signes

extérieurs des êtres et des choses pour atteindre, par delà les apparences, à la réalité fuyante qui nous entoure.

Dans cette perspective, le roman n'est qu'un guide qui nous aide dans notre recherche d'une compréhension lucide de la signification de la vie humaine. Le romancier est celui qui décide d'écrire pour se délivrer d'un charme et redonner un sens à sa propre vie qui s'est désagrégée sans qu'il s'en aperçoive. Mais, certes, l'auteur n'écrit pas seulement pour lui-même. Il veut que le lecteur aille jusqu'à s'identifier à lui et cela à un tel point que Butor se sert de la deuxième personne *vous* pour narrer sa propre histoire. En effet, ce glissement insensible de la première à la deuxième personne ne fait que mettre en lumière ce fameux phénomène d'identification que le lecteur ou le spectateur éprouve souvent quand il se plonge dans un ouvrage ou qu'il assiste à la représentation d'un spectacle qui le passionne. Pour le romancier, aussi bien que pour le lecteur, le roman, c'est un désensorcellement.

C'est ainsi que, dans *L'Emploi du temps*, Jacques Revel essaie d'échapper à la fascination morbide et enlisante qu'exerce sur lui la petite ville anglaise de Bleston. Comment se tirera-t-il d'affaire? Tout simplement en écrivant le journal de son séjour. C'est une lutte qui va s'engager "contre l'oubli, contre la nuit", afin de "remonter sa durée, essayer de rattraper, dans une course contre la montre, le temps perdu".[3]

Revel essaiera de reconquérir ce Temps Perdu de plusieurs façons. D'abord, par le simple récit de ce qui s'est passé, pendant un mois de son séjour, sept mois auparavant. Ensuite, par la reprise de ce récit, fragmenté cette fois et interrompu consciemment par des références au présent. Enfin la troisième fois, cette même relation est reprise et agrémentée de références à un passé, plus lointain, mais plus significatif. En fait, cette quête de la connaissance absolue qui fait descendre Revel de plus en plus profondément dans le labyrinthe de son passé, afin de

3. Philippe Sénart, *Chemins critiques d'Abellio à Sartre* (Paris: Plon 1966), p. 33.

l'interroger inlassablement, est bien la même recherche à laquelle nous nous livrons parfois inconsciemment quand nous faisons connaissance de quelqu'un. Nous n'appréhendons pas un être tout d'un seul coup; c'est plutôt par couches successives que nous arrivons à comprendre une personne. C'est par la connaissance de son passé que l'on peut expliquer ses actions et son caractère. La modification de notre vision correspond alors à une sorte de redressement de nos jugements trop arbitraires au début et plus nuancés ou radicalement différents par la suite. Le passé influe sur le présent et le présent sur le passé sans que la durée n'ait rien de linéaire ni de chronologique.

Pour cette descente dans son passé, Revel dans *L'Emploi du temps* prend comme point de repère un roman policier grâce auquel il essaie de retrouver la réalité de Bleston en entreprenant une étude historique de la ville. Et cette recherche semble nécessaire à notre héros afin de pouvoir échapper au charme maléfique de la ville. Le moindre détail de la vie de Bleston et du séjour de Revel dans cette cité se revêtira d'une importance capitale. On ne peut donc pas appliquer à l'auteur les mots qu'un critique moderne a prononcé sur les mondes d'un Robbe-Grillet, d'un Beckett, ou d'une Nathalie Sarraute. L'univers de Butor n'est pas un "monde . . . retourné au chaos" qui "s'éparpille à l'infini",[4] c'est au contraire un univers reconstruit, parce qu'expliqué, dans lequel les moindres détails ont une place bien définie, puisqu'après tout un verre d'eau est fait d'une infinité de gouttes de cette même eau. Comme le peintre Delaberge qui passait trois ans à étudier un tronc d'arbre d'après nature et dont Théophile Gautier[5] admirait la constance et l'acharnement, sans pourtant être tout à fait d'accord sur le résultat de cette quête esthétique, Michel Butor poursuit une réalité insaisissable. Recherche titanesque de la compréhension totale, direz-vous? Peut-être. Recherche admirable, certes, mais qui n'est pas sans danger. Elle tue le héros de *Degrés*, jeune professeur qui, parce qu'il ne peut arriver à reconstituer la réalité pleine et entière d'une heure

---

4. Philippe Sénart, p. 33.
5. Poète et critique d'art du dix-neuvième siècle.

précise de classe dans un lycée parisien, s'écrie: "Je suis dévoré par cette entreprise qui gonfle et prolifère. Je n'y arriverai jamais."

Sans doute, cela est vrai! Mais cette recherche dans laquelle l'auteur s'est engagé corps et âme, comme elle est féconde!

Le roman de *La Modification* nous met en présence d'une histoire très simple: celle d'un voyageur se rendant de Paris à Rome, non pas pour affaire commerciale, comme il le fait d'ordinaire, mais pour rejoindre une amie qu'il a décidé de ramener à Paris et d'épouser, après avoir divorcé d'avec sa femme. Le roman entier se déroule dans le train entre Paris et Rome. Butor nous fait part des réflexions et des réminiscences du voyageur qui explore son passé, qui fait revivre des épisodes significatifs de sa vie, qui repense sa décision et qui finalement la modifie complètement, au point de retourner à Paris sans avoir même vu son amie, Cécile. Il n'y a aucun symptôme de renoncement de la part du héros. Il y a surtout une volonté d'y voir clair, de ne pas être dupe d'un manque de maturité possible. Léon Delmont a soudain la révélation que son amour pour Cécile est factice. La jeune femme est devenue un mythe, une représentation pour lui de la vie qu'il mène à Rome. La ville et la personne aimée sont si bien liées que Léon ne peut penser à l'une sans voir surgir le fantôme de l'autre. Il se rappelle la déception qui avait été sienne quand Cécile quittant Rome était venue lui rendre visite à Paris. "La Rome de *La Modification* est autre chose qu'une ville italienne, elle est un rêve d'adolescent qui a pris figure de femme et s'est installé dans la vie affective du narrateur."[6] A Paris, cette Cécile romaine n'était plus celle qu'il croyait aimer car les lieux ont souvent le don de métamorphoser la personnalité humaine.

Comme le roman n'est pour l'auteur qu'une représentation de la démarche tâtonnante qui est celle même de cette recherche de la vérité, rien d'étonnant que Butor ait été curieux d'examiner la démarche intellectuelle d'autres écrivains, en un mot qu'il se soit tourné vers la critique.

6. Pierre de Boisdeffre, *Dictionnaire de littérature contemporaine* (Paris: Éditions Universitaires, 1962), pp. 229–30.

Dans *Répertoire I,* paru en 1960, et *Répertoire II,* paru en 1964, l'auteur a réuni un grand nombre d'articles composés sur les sujets et les auteurs les plus divers. Dans ces ouvrages de critique, on retrouve la préoccupation primordiale de Butor qui consiste en une recherche portant sur la nature d'un talent, sur ce qu'est la vérité de chaque auteur. Rien d'étonnant non plus que Butor, dont la démarche primesautière n'est pas sans rappeler celle de Montaigne, se soit attaché à étudier ce dernier et ait écrit une préface à l'édition des *Essais* de Montaigne en 1964 dans la collection 1018, ainsi que *Les Essais sur les Essais* en 1968.

En tant que critique, Michel Butor ne limite pas son investigation uniquement à la littérature. Bien au contraire, il pousse sa recherche dans les domaines de la peinture et de l'architecture. C'est ainsi que, dans *Description de San Marco,* il fait preuve de solides connaissances dans le domaine architectural et en fait montre dans la description de cette célèbre cathédrale vénitienne.

Illustrations est un recueil d'essais critiques dans lequel Butor exprime en prose poétique ses réactions personnelles devant une série de tableaux, eaux-fortes et gouaches de ses artistes favoris. Le critique vient de faire paraître en 1968 une nouvelle anthologie d'essais, *Répertoire III.* Dans se recueil sont rassemblés des comptes rendus artistiques sur des tableaux d'Holbein, Claude Monet, Mondrian, Caravage, entre autres.

Le peintre américain Alexander Calder semble avoir exercé sur Butor une influence assez profonde. C'est surtout la création des célèbres mobiles de Calder, avec la nouvelle formule artistique s'y attachant, qui fascine notre critique d'art depuis longtemps. Ces mobiles, dont les éléments de couleur et de forme plastique variés se fondent en une unité indivisible et harmonieuse, se composent d'un groupe de pièces détachées pivotant perpétuellement sur elles-mêmes. Ce mouvement, à la fois simple et complexe, se compose d'une multiplicité de rotations unifiées dont chaque élément se déplace séparément. Ce phénomène replace l'œuvre d'art dans un contexte à la fois spatial et temporel, un cadre de perpétuel devenir qui lui donne une nouvelle dimension. Pris de curiosité, Butor se demanda alors si l'on ne pouvait pas adapter cette idée de mobiles à la création littéraire. Les ouvrages littéraires ne pourraient-ils pas être considérés comme s'ils étaient en suspension par rapport aux autres, dans un flux qui ne cesse de se manifester et de les porter à travers les moments littéraires de l'histoire? Et ce serait alors l'accumulation de tous ces mouvements perpétuels qui finirait par former un tout indivisible.

Dans cette perspective le critique est nécessairement amené à traiter des problèmes de la création, et cela si intensément qu'il devient créateur par glissement à son tour. En effet, c'est une des idées chères à Butor que le critique en expliquant l'œuvre d'art crée à son tour et que les commentaires sont comme une prolongation indispensable de l'œuvre littéraire. Le commentateur tient alors une place bien déterminée à l'intérieur même du phénomène littéraire. A la tête se trouve l'auteur qui formule ses pensées, puis le livre achevé et publié et enfin les critiques qui expliquent, interprètent et évaluent l'ouvrage. Mais, dira-t-on, tout ceci ne contient rien de bien nouveau. Sans doute, mais là où Michel Butor innove dans le domaine de la critique c'est au moment où il émet l'opinion que les commentaires écrits sur une œuvre déterminée sont une partie inhérente de l'œuvre d'art. La critique devient création par le fait qu'elle éclaire certains aspects de l'œuvre, restés dans l'ombre jusqu'alors.

C'est ainsi qu'un livre comme *Madame Bovary* de Flaubert ne devrait pas être considéré comme une création romanesque isolée dans les siècles. Ce serait plutôt un point de départ, un début même de toute une nouvelle tradition littéraire qui comprendrait non seulement l'ouvrage original mais aussi toute la série des études critiques qui ont été composées sur ce livre. Ces commentaires constitueraient alors des fragments dans l'histoire de l'univers littéraire qui, en se complétant les uns les autres, ne cesseraient jamais, dans le cas des chefs-d'œuvre universels, de s'entasser les uns sur les autres aussi longtemps qu'il y aura des hommes pour lire et discuter les livres. Dès lors, on peut conclure que par l'originalité de ses vues sur la création artistique, Michel Butor doit compter comme un des critiques littéraires les plus intéressants de notre époque.

L'auteur a également poussé ses recherches dans un genre intermédiaire, tenant du récit, de l'essai, de la relation de voyage, voire du roman, dans lequel il poursuit sans répit la tâche qu'il s'est donnée qui est la recherche incessante de l'appréhension absolue d'une réalité. C'est ainsi que dans *Réseau aérien*, texte conçu pour la radio, l'auditeur se trouve en présence de voyageurs faisant le tour du monde, les uns partant vers l'ouest et les autres vers l'est. En nous faisant assister aux conversations de ces passagers qui parcourent un monde dans lequel ils ont perdu tous leurs points de repère habituels de temps, d'espace, de relativité, Michel Butor essaie de reconstruire pour nous la réalité d'un monde dans son essence absolue. Ce qui l'intéresse, c'est la vision globale d'un univers coupé de son passé, de son présent et de son avenir. En effet, les passagers "mangent" les fuseaux horaires comme sur terre les automobilistes "mangent" des kilomètres. Ils vivent dans un perpétuel état crépusculaire qui peut tout aussi bien être produit par le coucher que par le lever du soleil, selon que Butor nous fait participer à la vie à l'intérieur d'un avion ou d'un autre. Cet état se prolonge dans celui mi-conscient des passagers qui, coupés de toutes les attaches de l'habitude, se laissent aller à leurs rêveries les plus secrètes.

Il n'est pas inutile de mentionner que M. Butor atteint alors à un lyrisme cosmique qui nous émeut d'autant plus qu'il est mesuré et classique et reste en deçà de la vision qu'il propose. De même que l'écrivain Paul Morand nous avait offert la poésie des voyages dans un Orient-Express du début du siècle, de même M. Butor nous laisse pressentir le sortilège des voyages en avion qui provient non seulement d'un dépaysement total mais d'une désorientation complète. Dans un avion dont la vitesse de croisière est d'à peu près mille kilomètres à l'heure, nous nous sentons aller à la dérive, notre moi allant même jusqu'à se dissoudre dans l'instantanéité de nos sensations.

C'est également ce phénomène de désorientation qui sera le thème principal du livre *Mobile* dans lequel Butor décrit l'apparence physique des États-Unis comme un immense "quilt" de l'Europe. Dans un pays si vaste qu'il contient quatre fuseaux horaires, ce même phénomène de dépaysement temporel est aisément compréhensible. Et du dépaysement temporel au dépaysement spatial il n'y a qu'un pas. Serait-ce la raison pour laquelle nous ne semblons pas souffrir de déménager aussi souvent que nous le faisons dans cette vie moderne?

C'est la quête de la connaissance absolue du monde que M. Butor nous propose, connaissance nécessaire, effort obligatoire si nous voulons nous comprendre nous-mêmes et échapper au grand malaise moderne de l'homme que Camus a si bien dépeint dans *L'Étranger*. Que ce soit dans ses romans, dans ses essais ou dans sa critique, Butor nous fait participer, nous lecteurs, à ce travail d'Hercule. Il veut que nous soyons comme des complices de cette recherche de l'impossible. Dans cette quête la chasse elle-même n'est-elle pas plus importante que la proie à saisir?

C'est cette investigation terrifiante, certes, mais aussi tonifiante et saine, qui empêche non seulement l'auteur mais encore le lecteur de s'embourber dans les marais de l'apparence.

Michel Butor est bien dans la lignée des auteurs difficiles, de ceux qu'on découvre lentement, comme Montaigne, Flaubert et Mallarmé. Mais il est également de ceux qu'on n'oublie pas, et la pureté de son style classique en fait un exemple salutaire pour celui qui veut étudier la langue française dans toute la richesse de ses nuances et dans toutes ses délicatesses. C'est cette recherche de l'appréciation totale d'un monde "de l'approximation ou de l'erreur" [7] qui représente la quête intellectuelle de Michel Butor, et la nôtre par surcroît.

7. Jean Roudaut, *Michel Butor ou le livre futur* (Paris: Gallimard, 1964), p. 65.

L'Art de Michel Butor

L'Emploi du temps

Nous reproduisons ci-dessous le chapitre initial de *L'Emploi du temps* qui relate l'arrivée du personnage principal à Bleston, petite ville d'Angleterre. Cette cité imaginaire n'est pas sans ressemblances avec certaines villes de taille moyenne que l'auteur eut l'occasion de connaître lors du long séjour qu'il fit en Angleterre. Butor demeura à Manchester pendant deux ans: il avait été nommé assistant de langues dans le département de français à l'université de cette ville. Il put donc visiter la ville elle-même dans tous ses recoins. Il rayonna à partir d'elle, afin de se pénéter de l'atmosphère d'autres agglomérations anglaises typiques. Toutefois, l'imagination de Michel Butor s'est exercée sur ces souvenirs et à des détails fort réalistes il en a ajouté d'autres qui ont été imaginés de toute pièce. La ville de Bleston acquiert une puissance grandissante et un étrange pouvoir hallucinatoire sur le héros Revel, aussi bien que sur nous, lecteurs.

Butor au début de ce passage dépeint l'arrivée à deux heures du matin d'un jeune Français, Revel, dans une ville déserte, endormie, mystérieuse, complètement dépourvue de vie. Le héros compte passer à Bleston une année entière, en tant que traducteur dans la maison de commerce Matthews and Sons. En raisons de l'heure tardive de son arrivée, personne n'est venu le chercher à la gare.

A la descente du train, Revel se sent envahi par un dépaysement complet, aggravé par l'heure tardive, par le mauvais temps et la barrière linguistique qui se présente comme plus redoutable qu'il ne l'avait pensé. Car, si Revel a beaucoup étudié l'anglais avant son voyage, son éducation a été toute livresque et il a de la peine à s'exprimer dans un anglais idiomatique et encore plus à comprendre.

Le voilà donc qui erre sans fin à travers les rues désertes du

1

quartier des gares (Bleston en a trois). Il prend alors la décision héroïque de se coucher sur un banc dans la salle d'attente d'une de ces gares. Il remet au lendemain son premier contact avec les habitants de Bleston et avec ses nouveaux patrons de chez Matthews and Sons.

L'étudiant notera à quel point Butor décrit minutieusement les premiers moments vécus par Revel à Bleston. Les détails abondants fournis par l'auteur sur cette première nuit blanche sont destinés à placer le lecteur, dès le début et comme symboliquement, dans une ambiance de lenteur et d'étrangeté qui va en s'épaississant au fur et à mesure que Revel fait des efforts pour sortir de cet engourdissement dans lequel le plonge Bleston. Il va chercher des armes contre cet enlisement dans une recherche historique sur la ville dans laquelle il englobera son propre passé. L'étude du Temps et de l'Espace est capitale pour Michel Butor qui va pour se libérer de l'enchantement que cette ville exerce sur lui transcrire aussi précisément que possible les souvenirs de son arrivée en Angleterre.

L'en-tête du passage suivant est Mai, octobre. Revel décrit en mai ses réactions initiales à la ville de Bleston éprouvées au mois d'octobre. Butor entend fondre par là dans la conscience du lecteur deux périodes temporelles: l'écoulement du temps actuel et le moment déjà vécu dans le passé.

Après ce premier contact déroutant avec Bleston, Revel cherche à s'adapter à son nouveau genre de vie dans le décor bizarre de la ville. A l'inverse du héros de *L'Étranger* de Camus qui se laisse engloutir par la routine de la vie de tous les jours sans posséder la volonté de réagir, Revel trouve le salut dans la fuite. Il retourne en France guéri, après une année de séjour.

Un Début dans une ville

Jeudi 1er mai.

Les lueurs se sont multipliées.

C'est à ce moment que je suis entré, que commence mon séjour dans cette ville, cette année dont plus de la moitié s'est écoulée, lorsque peu à peu je me suis dégagé de ma somnolence, dans ce coin de compartiment où j'étais seul, face à la marche, près de la vitre noire couverte à l'extérieur de gouttes de pluie, myriade de petits miroirs, chacun réfléchissant un grain tremblant de la lumière insuffisante qui bruinait du plafonnier sali, lorsque la trame de l'épaisse couverture de bruit, qui m'enveloppait depuis des heures presque sans répit, s'est encore une fois relâchée, défaite.

Dehors, c'étaient des vapeurs brunes, des piliers de fonte passant, ralentissant, et des lampes entre eux, aux réflecteurs de tôle émaillée, datant sans doute de ces années où l'on s'éclairait au pétrole, puis, à intervalles réguliers, cette inscription blanche sur de longs rectangles rouges: «Bleston Hamilton Station».

Il n'y avait que trois ou quatre voyageurs dans mon wagon, car ce n'était pas le grand train direct, celui que j'aurais dû prendre, celui à l'arrivée duquel on m'attendait, et que j'avais manqué de quelques minutes à Euston, ce pourquoi j'en avais été réduit à attendre indéfiniment ce convoi postal dans une gare de correspondance.

Si j'avais su à quel point mon heure d'arrivée était incongrue dans la vie d'ici, je n'aurais pas hésité, certes, à retarder mon voyage d'un jour, en télégraphiant mes excuses.

Je revois tout cela très clairement, l'instant où je me suis levé, celui où j'ai effacé avec mes mains les plis de mon imperméable alors couleur de sable.

J'ai l'impression que je pourrais retrouver avec une exactitude absolue la place qu'occupait mon unique lourde valise dans le filet,[1] et celle où je l'ai laissée tomber, entre les banquettes, au travers de la porte.

5   C'est qu'alors l'eau de mon regard n'était pas encore obscurcie; depuis, chacun des jours y a jeté sa pincée de cendres.

J'ai posé mes pieds sur le quai presque désert, et je me suis aperçu que les derniers chocs avaient achevé de découdre ma vieille poignée de cuir,[2] qu'il me faudrait soigneusement appuyer le pouce à l'endroit défait, crisper ma main, doubler l'effort.

J'ai attendu; je me suis redressé, les jambes un peu écartées pour bien prendre appui sur[3] ce nouveau sol, regardant autour de moi: à gauche, la tôle rouge du wagon que je venais de quitter, l'épaisse porte qui battait, à droite, d'autres voies, avec quelques éclats de lumière dure sur les rails, et plus loin, d'autres wagons immobiles et éteints, toujours sous l'immense voûte de métal et de verre, dont je devinais les blessures au-delà des brumes: en face de moi enfin, au-dessus de la barrière que l'employé s'apprêtait à fermer juste après mon passage, la grande horloge au cadran lumineux marquant deux heures.

Alors j'ai pris une longue aspiration, et l'air m'a paru amer, acide, charbonneux, lourd comme si un grain de limaille lestait chaque gouttelette de son brouillard.[4]

Un peu de vent frôlait les ailes de mon nez et mes joues,

---

1. *le filet:* the luggage rack above the seats. Literally this word means "net."

2. *avaient achevé de découdre ma vieille poignée de cuir:* had finished ripping apart the old leather handle.

3. *prendre appui sur:* to get a better footing on.

4. *comme si un grain de limaille lestait chaque gouttelette de son brouillard:* as if a particle of metal were weighing down each little drop of fog.

un peu de vent au poil âpre et gluant, comme celui d'une couverture de laine humide.

Cet air auquel j'étais désormais condamné pour tout un an, je l'ai interrogé par mes narines et ma langue, et j'ai bien senti qu'il contenait ces vapeurs sournoises qui depuis sept mois m'asphyxient, qui avaient réussi à me plonger dans le terrible engourdissement dont je viens de me réveiller.

Je m'en souviens, j'ai été soudain pris de peur (et j'étais perspicace: c'était bien ce genre de folie que j'appréhendais, cet obscurcissement de moi-même), j'ai été envahi, toute une longue seconde, de l'absurde envie de reculer, de renoncer, de fuir; mais un immense fossé me séparait désormais des événements de la matinée et des visages qui m'étaient les plus familiers, un fossé qui s'était démesurément agrandi tandis que je le franchissais, de telle sorte que je n'en percevais plus les profondeurs et que son autre rive, incroyablement lointaine, ne m'apparaissait plus que comme une ligne d'horizon très légèrement découpée sur laquelle il n'était plus possible de discerner aucun détail.

Vendredi 2 mai.

J'ai arraché ma valise [5] et je me suis mis à marcher sur ce sol nouveau, dans cet air étranger, au milieu des trains immobiles.

L'employé a fermé la grille et s'en est allé.

J'avais faim, mais, dans le grand hall, les mots «bar», «restaurant», s'étalaient au-dessus de rideaux de fer baissés.

Voulant fumer, j'ai fouillé dans la poche de mon veston, mais le paquet de gauloises [6] était vide, et il n'y avait rien d'autre.

Pourtant c'était là que je croyais avoir rangé,[7] quelques

5. *J'ai arraché ma valise:* I snatched up my suitcase.
6. *le paquet de gauloises:* perhaps the most popular brand of cigarettes sold in France.
7. *je croyais avoir rangé:* I thought I had put it away.

instants plus tôt, quelques heures plus tôt, je ne savais déjà plus, la lettre du directeur de Matthews and Sons qui me donnait l'adresse de l'hôtel où ma chambre était réservée.

Je l'avais relue dans le train une dernière fois, il était donc impossible qu'elle fût dans ma valise, puisque je n'avais pas ouvert celle-ci de tout le trajet: mais après avoir cherché en vain dans mes vêtements, il a fallu que je vérifie, que je glisse ma main entre mes chemises, en vain.

Elle devait être tombée dans le compartiment où je ne pouvais plus retourner à ce moment, mais je n'accordais à cela nulle importance,[8] convaincu que je trouverais facilement un gîte provisoire dans les environs immédiats.

Le chauffeur de taxi, dont j'étais le dernier espoir pour la nuit, m'a demandé où je voulais être mené (ses paroles ne pouvaient avoir d'autre sens), mais les mots qu'il employait, je ne les reconnaissais pas, et ceux par lesquels j'aurais voulu le remercier, je ne parvenais pas à les former dans ma bouche; c'est un simple murmure que je me suis entendu prononcer.

Il m'a regardé en hochant la tête, et, tandis que je m'éloignais de la gare, silencieusement droit devant moi, j'ai vu sa voiture noire faire le tour de la plate-forme, descendre par la pente bordée de parapets, disparaître par la rue déserte en bas.

Les hauts réverbères éclairaient de lumière orange les enseignes éteintes, les hautes façades sans volets, où toutes les fenêtres étaient obscures, où toutes les vitrines étaient fermées, où rien ne signalait un hôtel.

Je suis arrivé à un endroit où les maisons s'écartaient, et dans l'espace libre, là-bas, j'apercevais des bus à deux étages qui démarraient.

8. *je n'accordais à cela aucune importance:* I attributed no importance to that.

Les rares personnes que je croisais [9] semblaient se hâter, comme s'il ne restait plus que quelques instants avant un rigoureux couvre-feu.

Je sais maintenant que la grande rue que j'ai prise à gauche , c'est Brown Street; je suis,[10] sur le plan que je viens d'acheter à Ann Bailey,[11] tout mon trajet de cette nuit-là; mais en ces minutes obscures, je n'ai même pas cherché à l'angle les lettres d'un nom, parce que les inscriptions que je désirais lire, c'étaient «Hôtel», «Pension», «Bed and Breakfast», ces inscriptions que j'ai vues depuis, repassant de jour devant ces maisons, éclater en émail sur des vitres au premier ou second étage, alors si bien cachées dans l'ombre de cette heure indue.

Je suis retourné vers la place qui s'était vidée entre temps; j'ai traîné dans quelques-unes de ces ruelles sur lesquelles donne l'arrière des immeubles, m'arrêtant tous les dix pas pour poser ma lourde valise et changer de bras; puis, comme le brouillard devenait pluie, j'ai décidé de remonter à la gare pour y attendre le matin.

Parvenu en haut de la pente, j'ai été surpris par la largeur de la façade; certes, je ne l'avais pas regardée avec attention tout à l'heure, mais était-il possible que je fusse passé sous ce portique? N'y avait-il pas une marquise? Et cette tour, comment ne l'avais-je pas aperçue?

Quand je suis entré, j'ai dû me rendre à l'évidence: [12] déjà ce court périple m'avait égaré; j'étais arrivé dans une autre gare, Bleston New Station, tout aussi vide que la première.

9. *que je croisais:* that I encountered.
10. je suis: from the verb *suivre.*
11. Ann Bailey is a saleslady in a bookstore from whom Revel will purchase a map of the city later in the novel.
12. *j'ai dû me rendre à l'évidence:* I was forced to accept the facts.

Mes pieds me faisaient mal, j'étais trempé, j'avais des ampoules aux mains; mieux valait en rester là.[13]

Je lisais au-dessus des portes: «Renseignements», «Billets», «Bar», «Chef de gare», «Sous-chef de gare», «Consigne», «Salle d'attente de première classe» (j'ai tourné la poignée, j'ai tenté d'ouvrir), «Salle d'attente de deuxième classe» (même insuccès), «Salle d'attente de troisième classe» (c'était allumé à l'intérieur).

M'introduisant, j'ai vu deux hommes qui dormaient sur les bancs de bois, deux hommes très sales, l'un allongé sur le côté, le visage caché sous un chapeau, l'autre couché sur le dos, les genoux en l'air, la tête renversée, la bouche ouverte, presque sans dents, avec une barbe de quinze jours et une croûte sur la pommette droite, laissant traîner par terre sa main droite à laquelle il manquait deux doigts.[14]

Un troisième, assis près de la cheminée froide, plus âgé, le dos courbé, les bras croisés sur son ventre, m'a examiné de la tête aux pieds, m'a montré des yeux ses deux compagnons comme pour me mettre en garde,[15] puis m'a désigné d'un mouvement de menton un emplacement que j'ai nettoyé sommairement avant d'y poser ma valise et de m'asseoir à côté d'elle, en appuyant mon coude sur son couvercle.

Au bout d'un quart d'heure, comme on entendait un pas lourd s'approcher, l'homme éveillé a fermé les yeux.

J'ai vu la poignée tourner lentement; les gonds se sont mis à grincer; dans l'entrebâillement est passé le casque bleu-noir, puis le visage d'un policeman qui a paru satisfait du calme, et qui a éteint; les gonds se sont remis à grincer; la serrure a claqué doucement.

Peu après, malgré mes efforts, je me suis endormi.

13. *mieux valait en rester là:* better let it go at that.
14. *laissant traîner par terre sa main droite à laquelle il manquait deux doigts:* letting his right hand, which was missing two fingers, drag on the floor.
15. *comme pour me mettre en garde:* as if to warn me.

II

Lundi 5 mai.

Une douleur dans le côté droit m'a réveillé; j'essayais de me retourner; ma main frottait sur une surface rugueuse; j'avais l'impression d'être couvert de boue gelée.

Quand je me suis redressé, il y avait comme un grésillement dans mes muscles, toutes mes articulations étaient durcies; il m'a fallu les déplier une par une.

Quand j'ai ouvert les yeux, une lumière grise comme de l'eau de lessive coulait dans la salle; les trois vagabonds respiraient régulièrement.

J'ai vérifié le contenu de mes poches (un train sifflait), j'ai ramassé par terre un long bout de ficelle blanche qui traînait parmi les papiers déchirés, puis, après avoir réparé tant bien que mal [16] ma poignée, je suis sorti, m'efforçant de faire peu de bruit, et je me suis dirigé vers le bar enfin ouvert.

Il y avait une dizaine de personnes qui buvaient dans des tasses de faïence blanche sans soucoupes, assises près de petites tables rondes de part et d'autre [17] d'une cheminée semblable à celle de la salle d'attente, mais où brûlait un feu de boulets sur une grille.

Trois ou quatre autres, debout, attendaient, accoudées au comptoir derrière lequel deux femmes s'affairaient avec de grands brocs.

Ayant examiné la liste des prix pendue devant l'étagère où brillaient quantité de bouteilles, je me suis approché et j'ai demandé un grand verre de rhum.

«Qu'avez-vous dit, monsieur?»

Tout à fait fanée, osseuse, les gestes nerveux, elle avait au moins quarante ans, et il devait y avoir déjà bien des cheveux gris derrière sa petite coiffe empesée.

16. *tant bien que mal:* after a fashion.
17. *de part et d'autre:* on either side.

«Un verre de rhum.»

J'aurais voulu dire: «je vous prie», mettre de l'amabilité dans ma demande, mais j'avais déjà le plus grand mal à retrouver les quelques substantifs indispensables, et je les prononçais de façon si fausse que moi-même je m'en rendais compte et que j'en souffrais.

«Du rhum?

—Oui.

—Ah, non, monsieur, je suis désolée.

—Mais...»

Elle est passée à un autre client qui lui tendait une tasse dans laquelle elle a versé du thé.

Devant le mur je voyais s'arrondir sur des étiquettes des cartes de la Jamaïque, des visages de nègres, des plants de canne.

«Un verre de whisky, alors.

—Ah, non monsieur, je suis désolée. Du thé? De l'orangeade?»

A côté d'elle, sa compagne, plus âgée, soixante ans, me dévisageait d'un œil sévèrement intrigué.

«Rien d'autre?

—Eau minérale, soda café, bouillon...

—Pas d'alcool?

—Pas d'alcool, monsieur, inutile d'insister, pas avant onze heures et demie.

—Du thé.»

Je suis allé boire en face du feu, dans la vapeur de mon imperméable alors couleur de sable.

Quand j'ai posé la tasse vide sur une des tables, j'ai vu que mes doigts y avaient laissé leurs empreintes; j'ai passé mes mains sur mes joues râpeuses et j'ai eu honte de m'être présenté sous un tel aspect à cette serveuse; j'étais devenu presque aussi sale que mes compagnons de sommeil.

Dans le lavabo où je suis descendu, il n'était pas question

de se raser,[18] bien sûr, et il n'y avait pas de savon, mais c'était déjà une délivrance que ce premier décrassage.

Ma chemise collait à ma peau, et dans le miroir où j'avais peine à me reconnaître, je voyais sur son col des coulées grises et les points noirs des escarbilles qui tombaient encore de mes cheveux.

Mercredi 7 mai.

Après m'être débarrassé de ma valise à la consigne, j'ai serré un peu ma ceinture, j'ai enfoncé mes mains dans mes poches et j'ai commencé mon exploration à la recherche d'un coiffeur.

La grande horloge à l'extérieur marquait six heures et demie; il ne pleuvait plus; quelques taxis noirs stationnaient le long du portique; quelques porteurs en manches de chemise roulaient des caisses sur des diables [19] et les chargeaient sur un camion; quelques voyageurs pressés s'éloignaient, en pardessus sombres, en chapeaux melon [20] un peu trop étroits, le parapluie pendu au bras.

Je me suis retourné pour examiner la façade, avec sa tour à ma droite, et sur le long rectangle rouge, l'inscription en lettres blanchâtres: Bleston New Station.

Je me répétais en descendant la pente; «ce n'est pas par ici que je suis arrivé, c'est par Hamilton Station, c'est la première fois que je fais ce trajet dans ce sens»; mais j'avais du mal à m'en persuader; les deux bâtiments se confondaient dans mon esprit; je n'arrivais pas à me représenter leurs situations respectives.

C'était comme s'il y avait eu quelque chose de truqué [21]

18. *il n'était pas question de se raser:* shaving was out of the question.
19. *des diables:* two-wheeled carts.
20. *en chapeaux melon:* in bowler hats.
21. *quelque chose de truqué:* something sham, fake.

dans ces maisons encore mortes qui s'élevaient de plus en plus autour de moi.

Sur la place, il y avait un grand ciel d'octobre, avec un soleil pâle et bas, un peu rose, dans la course des nuages
5 semblables à des troupeaux d'animaux de toundras [22] au pelage humide, et le vent soulevait en tourbillons sur les trottoirs tickets, fétus, copeaux et feuilles mortes.

Au milieu, les grands bus rouges à deux étages s'étaient à nouveau massés.

10 Sur deux plaques de fonte vissées dans une pierre d'angle, j'ai déchiffré: New Station Street, Alexandra Place, et en face, sur une flèche pointant à droite, jaillissant à mi-hauteur de la hampe d'un réverbère: Hamilton Station.

Je me suis attaché à reconstituer en gros [23] mon itiné-
15 raire nocturne, j'ai identifié Brown Street que j'avais parcourue en vain.

A quelque deux cents mètres, j'ai aperçu ce que m'avaient caché la nuit et la brume, le pont épais, haut de deux étages, qui la franchit, sur lequel passait un train, le pont semblable
20 à ceux que j'ai vus peu après, en tournant autour de cette place en forme de triangle, à une distance équivalente, dans chacune des rues rayonnantes, à part celles qui mènent directement aux gares,[24] et comme toutes ces arches ressemblaient à autant de portes dans une enceinte, je m'ima-
25 ginais être au centre de Bleston.

Au point où se rencontrent les deux grands côtés, je suis passé sous l'architrave que soutiennent quatre colonnes doriques trapues, si couvertes d'écorce noire qu'elles font penser à des fûts de conifères restés debout après
30 l'incendie de la forêt et l'effondrement de leurs parties

22. *d'animaux de toundras:* tundra animals.

23. *reconstituer en gros:* to reconstruct roughly.

24. There is in fact a square in Bleston—Alexandra Place—where the three railroad stations are located. It would be easy to confuse this square with the center of town.

hautes; puis, au sommet de la troisième pente, sur lequel la
façade récemment refaite en briques de Dudley Station
était encore rouge, je suis entré dans le grand hall où l'horloge marquait sept heures.

Comme ces minutes étaient lentes à passer! Comme elles   5
seraient lentes encore avant que je puisse aller frapper chez
Matthews and Sons qui n'ouvrirait qu'à neuf heures, avant
que les choses rentrent enfin dans leur ordre prévu! [25]

Il m'a fallu attendre près d'une heure, buvant tasse de
thé sur tasse de thé, avant que les boutiques se soient   10
ouvertes sur la place, avant qu'un coiffeur ait délivré mon
cou de son poil malpropre, et près d'une autre heure après
cela, épuisant mon premier paquet de cigarettes anglaises,
affalé sur un banc près des bus. [26]

Ayant entendu sonner les neuf coups, je suis monté   15
reprendre ma valise à la consigne de New Station; le portique déversait alors une silencieuse foule grouillante et il y
avait une longue file de taxis en mouvement régulier.

Je me suis jeté dans l'un d'eux, donnant l'adresse de
Matthews and Sons que je savais par cœur pour l'avoir tant   20
de fois écrite sur des enveloppes, ne serait-ce que pour régler
mon arrivée ici.

Le chauffeur, qui, naturellement, n'avait pas compris, a
démarré immédiatement pour ne pas encombrer le trafic,
puis il a ouvert le carreau de communication et il a crié   25
pour m'interroger, tordant la tête.

Il m'a fallu lui répéter plusieurs fois: «soixante-deux,
White Street», en m'efforçant d'améliorer ma prononciation,
tandis que nous descendions la pente au ralenti, puis il a
fermé, viré sur la droite, viré encore, et nous nous sommes   30
enfoncés dans Brown Street sous le pont.

25. *avant que les choses rentrent enfin dans leur ordre prévu:* before
everything falls back into place.

26. *près des bus:* near the buses. ("Bus" here is an anglicism.)

Je voyais défiler des rues, des maisons, des affiches, des feux rouges aux croisements, de grands bus que nous dépassions, et je m'étonnais de la longueur du trajet, quand, tout d'un coup, je me suis aperçu que nous nous étions arrêtés, et qu'il sortait pour m'ouvrir la porte.

Alors j'ai jeté un coup d'œil sur le compteur, et je l'ai payé largement afin d'éviter toute discussion, puis je suis resté plusieurs minutes sur le trottoir, auprès de ma valise, à regarder, de part et d'autre des vantaux grands ouverts, les plaques de cuivre, trois de chaque côté, toutes, je le sentais, astiquées du matin, sauf une, déjà rugueuse de vert de gris, avec des lettres en relief proclamant les noms des firmes et leurs étages, en particulier celle de Matthews and Sons, à hauteur de mon œil, à gauche, entre Bloomfield Limited et Habersmith and Company, à regarder au-dessus du numéro «soixante-deux» les cinq rangées de fenêtres s'amincissant jusqu'au ciel qui se chargeait,[27] les six corniches enjambées par le tuyau de la gouttière.

Vendredi 9 mai.

Je suis monté jusqu'au premier palier, lentement, m'accrochant à la rampe à cause du poids de ma valise, m'efforçant de reprendre possession du peu d'anglais que je savais, me serinant des formules de politesse [28] usuelles.

Tendu, crispé, dans l'appréhension de ne pas comprendre, j'ai sonné et la porte s'est ouverte toute seule sur la grande pièce où je travaille maintenant tous les jours de semaine.

Un seul des neuf gentlemen penchés sur leurs papiers ou

27. *le ciel qui se chargeait:* the sky that was becoming more and more ominous.

28. *me serinant des formules de politesse:* drilling myself with expressions of polite etiquette.

leurs machines à écrire, a relevé la tête, s'adressant à moi comme à un client.

«Oui monsieur?

—Je voudrais voir monsieur Matthews, je suis Jacques Revel, je...   5

—Ah, le Français, n'est-ce pas? Avez-vous fait un bon voyage? Enchanté de faire votre connaissance, monsieur Revel; je suis Ardwick. Attendez ici juste un instant; je vais voir si monsieur Matthews peut vous recevoir.»

Je regardais la dixième table, près de la dernière fenêtre,   10
cette table inoccupée qui, de toute évidence, allait être la mienne.

«Monsieur Revel?»

Un petit homme replet, rougeaud, sautillant, le cou enfoncé dans un haut col dur, m'a fait entrer dans son bureau.   15

«Enchanté de vous voir, monsieur Revel, je suis John Matthews, John Matthews le jeune, comme on dit. Vous excuserez mon père; il ne veut pas qu'on le dérange en ce moment. L'hôtel vous a plu? James Jenkins était allé vous attendre à la gare...   20

—J'ai pris un autre train; je ne suis arrivé que ce matin... Je regrette...

—Ce n'est rien, monsieur Revel, rien du tout, mais vous auriez dû nous prévenir. Vous semblez vraiment très fatigué. Jenkins! Vous accompagnerez monsieur Revel à l'«Écrou»,[29]   25
après lui avoir présenté ses nouveaux collègues, naturellement. Reposez-vous bien, monsieur Revel, installez-vous, et soyez ici à neuf heures demain.»

Puis James Jenkins, ayant fermé la porte derrière moi, m'a fait faire le tour des tables, et j'ai entendu ces huit noms   30

29. «l'Écrou»: "the Screw," which is the proper name of the hotel in which Revel spends his year in Bleston. In addition, there may be a symbolic meaning for «écrou» in French, for this term is commonly used to designate a jail. It so happens that this hotel is almost like a jail for Revel.

que je n'ai commencé à retenir que plusieurs jours plus tard:
Blythe, Greystone, Ward, Dalton, Cape, Slade, Moseley,
Ardwick enfin, les noms de ces huit personnages que j'ai
revus tous les jours de semaine à la même place depuis sept
5   mois.

«C'est tout votre bagage, monsieur Revel?»

Sa voix douce, timidement gaie, me réconfortait.

J'ai vu sa main se fermer sur la poignée de ma valise, son
pouce cacher soigneusement la ficelle blanche qui la répa-
10 rait; son œil bleu clair avait cligné; je me suis senti rougir de
honte et presque vaciller.

«Vous allez à l'«Écrou», évidemment; le vieux Matthews
y expédie toujours les nouveaux arrivants; c'est devenu
presqu'un proverbe parmi nous. C'était tout près de son
15 ancienne demeure, et comme personne ne s'est jamais plaint,
il n'a pas jugé utile de changer. Vous verrez, le quartier est
assez plaisant, vous avez même un cinéma tout à côté; je
pense que cela vous conviendra, au moins pour quelques
jours. Nous y serons dans un quart d'heure avec la voiture.»

20 Nous roulions; la pluie s'était mise à tomber; les essuie-
glaces passaient et repassaient dans le ruissellement; James
continuait à parler doucement, m'expliquant que cette
Morris noire appartenait à Matthews and Sons, mais qu'il en
avait la garde parce qu'il y avait un garage libre dans la mai-
25 son de sa mère; j'étais incapable de lui répondre, incapable
bientôt de suivre ce qu'il me disait.

Nous nous sommes arrêtés devant un porche à colonnettes couvert d'une épaisse couche de peinture blanchâtre,
au-dessus duquel pendue à sa potence par des chaînes,
30 l'enseigne, un grand écrou hexagonal doré, se balançait.[30]

Au guichet de la réception, James s'est entretenu pendant

---

30. *au-dessus duquel pendue à sa potence par des chaînes, l'enseigne,*
un grand écrou hexagonal doré, se balançait: above which was swinging the
sign, a large hexagonal bolt, suspended on its T-shaped surface with chains.

longtemps avec une jeune fille aux cheveux trop blonds, aux offensantes lunettes d'écaille, et moi, perdu dans cette conversation rapide, j'en attendais le résultat en les regardant tour à tour, souriant pour me donner une contenance.

A la fin, lentement, James Jenkins s'est tourné vers moi, et m'a dit, s'efforçant d'articuler bien distinctement, conscient de son rôle d'interprète:

«La chambre retenue pour vous est au troisième. Il n'en ont pas d'autre. Cela ne vous ennuie pas?»

J'ai approuvé de la tête; j'ai inscrit mon nom et mon numéro de passeport sur le registre à la page du mardi 2 octobre; puis James a insisté pour monter ma valise, et l'a déposée dans la petite pièce, sur le petit lit.

«Jenkins», c'était la première fois que je l'appelais par son nom, et je ne me suis servi de son prénom que plusieurs mois plus tard, «excusez-moi si je prononce mal; je voudrais savoir: celui qui était avant moi à la dixième table, c'était un Français?

—Non, monsieur Revel, il n'y a pas eu d'étrangers chez Matthews and Sons depuis la guerre, et avant, je n'y étais pas encore, vous comprenez. Vous êtes le premier que j'aie rencontré.

—Est-il possible de prendre ses repas dans cet hôtel?

—Non, monsieur Revel, le petit déjeuner seulement. Mais vous avez un restaurant pas très loin, la jeune fille vous indiquera.

—Merci, Jenkins, à demain, Jenkins.»

Il n'y avait pas de table; la fenêtre donnait sur un mur de briques au fond d'une cour.

Je me disais en me déshabillant dans la salle de bains de l'étage: «je ne puis pas rester ici, je ne dois pas rester ici, je suis perdu si je reste ici, dès demain je vais me mettre en quête d'un logement meilleur».

Quand je me suis couché ce matin-là, ma montre marquait dix heures et demie, quand je me suis levé l'après-midi, six heures.

J'ai avalé dans le snack-bar tout proche des sandwiches au jambon et des tasses de thé.

5   Ah, dans cette seconde nuit à Bleston, comme le vrai sommeil a été long à revenir!

III

Lundi 12 mai.

Tandis que mon réveil sonnait, tandis que j'écartais mes draps dans la lumière blafarde qui traversait les minces rideaux, tandis que j'épaississais sur mon menton la couche
10   de mousse froide, je me murmurais: «chez Matthews and Sons à neuf heures, soixante-deux, White Street», et peu à peu cela prenait la forme d'une question: «comment y parvenir?»; j'ai préparé soigneusement mes mots pour interroger la demoiselle en bas.

15   Elle s'est appuyée à son dossier, faisant taper son crayon sur ses dents.

«White Street, dites-vous? C'est dans quelle partie de la ville?

—Je ne sais pas exactement; près du centre, je sup-
20   pose...

—Si ce n'est pas trop loin de l'ancienne Cathédrale, le mieux est de prendre le bus 17. La station est toute proche, la deuxième rue à droite. Demandez au contrôleur, il saura peut-être.»

25   Celui-ci m'a répondu:

«Vous ferez bien de descendre à Tower Street.»

Je suis monté à l'étage supérieur d'où j'ai regardé les automobiles glisser au-dessous de moi comme des poissons de rivière.

30   «Tower Street, monsieur, Tower Street!»

Je me suis trouvé entre de grands immeubles à plaques
de cuivre, devant lesquels passaient des employés pressés,
et j'ai arrêté l'un d'eux, tandis qu'une horloge sonnait neuf
heures.

«Excusez-moi. White Street?   5
—Mais, vous y êtes, monsieur.»

Alors j'ai reconnu la porte, la première après le croisement, le numéro soixante-deux, les six corniches, la gouttière,
les trois marches, puis l'escalier.

«Bonjour, monsieur Revel», m'a dit John Matthews le   10
jeune, en interrompant sa conversation avec Ardwick, «vous
avez passé une bonne nuit? Tout va bien? Pour aujourd'hui
vous enregistrerez la correspondance. Tout est préparé sur
votre table, au coin, près de la fenêtre. Si vous avez besoin
de quelque explication, demandez à Jenkins.»   15

Je me suis assis à ma place, j'ai regardé à gauche, au travers des vitres, les étages supérieurs, les lucarnes, le toit
d'ardoises, les cheminées et les paratonnerres de la compagnie d'assurances «La Vigilante», devant moi, me tournant le
dos, dans un fauteuil rotatif [31] dont le pivot grince à chaque   20
mouvement, Blythe (je ne sais toujours pas son prénom, je
n'ai jamais affaire à lui [32]), à ma droite James Jenkins, tout cet
environnement qui n'a pas changé depuis plus de sept mois.

Ce matin-là, le vieux John Matthews, que je n'avais encore jamais vu, semblable au squelette de son fils, sur lequel   25
la peau se serait racornie,[33] a fait une apparition dans la salle,
et m'apercevant, m'a lancé:

«C'est vous, Revel? Très bien, ne vous dérangez pas.»

A midi et demie, j'ai suivi le mouvement général, surpris
de voir Ardwick et Greystone rester assis à leurs tables,   30
comme si rien ne se passait.

31. *un fauteuil rotatif:* a swivel chair.
32. *je n'ai jamais affaire à lui:* I never deal with him.
33. *racornie:* shriveled up.

«Ils n'iront déjeuner que lorsque nous serons revenus», m'a expliqué James. «Nous ne fermons pas de neuf à six heures.»

Je l'ai suivi dans une gargotte de Tower Street, un sous-sol sans fenêtres.

«On peut trouver moins cher, mais il faut se servir soi-même; je crois que ceci est plus agréable.»

Il y avait un peu de soupe, un peu de poisson frit, quelques pommes de terre dures, la bouteille de sauce rouge sur la table, pour assaisonner, un petit pain rond de la taille d'une balle de tennis, une tasse de thé, et pour finir, une pâtisserie justement nommée «éponge», couverte de cette immanquable crème couleur de jonquille fanée, qui laisse dans la bouche un goût de colle.

«Si vous avez encore faim, je peux demander du fromage et des biscuits...»

Que sa voix douce et attentive m'a manqué le soir, quand je suis revenu dans ce souterrain,[34] par paresse de chercher mieux!

Que le repas, toujours le même, sauf quelques variations insignifiantes (le potage plus vert ou plus brun, quelques raisins secs ou de la confiture dans les desserts), m'a paru fade sans l'agrément de ses questions prononcées si distinctement et suivies de tant de patience, de tant d'indulgence pour mes réponses bafouillées!

Il se considérait comme attaché à ma personne; je lui inspirais de la curiosité, du respect, et en même temps une certaine pitié, car il sentait que je me trouvais aux prises avec[35] de multiples difficultés qu'il s'efforçait de se représenter et d'aplanir.

C'est grâce à lui que j'ai pu me débrouiller rapidement

34. *souterrain:* tunnel, underground passage (refers here to the cellar-level restaurant.)

35. *que je me trouvais aux prises avec:* that I was struggling with.

dans mon travail chez Matthews and Sons, et il est le seul de mes collègues avec qui j'ai jamais eu des relations autres que strictement professionnelles, car si j'ai déjeuné souvent à la même table que Dalton ou Cape, habitués du restaurant Lancaster qui possède l'immense avantage sur celui de 5 James, le Burlington, d'être en même temps débit de boissons, jamais il n'ont cherché à me faire parler, jamais ils n'ont tenté de savoir, dans ce mois d'octobre, si j'avais réussi à accrocher un sens à leurs rares syllabes,[36] dont je sais maintenant qu'elles se réduisent à «jolie pluie fine, ce matin», «le 10 vieux Matthews est en colère», «vous avez l'air très affamé», ou «l'équipe de Bradford a encore eu le dessus cette année»; et pourtant, comme il était visible que je peinais pour comprendre et me faire comprendre!

EXERCICES

Questions spécifiques: Répondre en français et en des phrases complètes.

1. Quel temps fait-il quand Revel arrive à Bleston?
2. Pourquoi y a-t-il si peu de voyageurs dans le wagon de son train?
3. Pourquoi n'a-t-il pas pris le grand train direct?
4. En fait, quelle sorte de train Revel a-t-il pris?
5. Quelle sorte de vêtement Revel porte-t-il lors de son arrivée?
6. Quelle sorte de bagage Revel porte-t-il?
7. Quelle heure est-ce que l'horloge marque à l'arrivée de Revel?
8. Quelle sorte d'air respire-t-il en arrivant à la gare?

36. *si j'avais réussi à accrocher un sens à leurs rares syllabes:* if I had succeeded in attributing a meaning to their unusual syllables.

9. Qu'a-t-il fait de la lettre avec l'adresse de l'hôtel?
10. Pourquoi le chauffeur de taxi ne peut-il mener Revel à un hôtel?
11. Pourquoi est-ce que toutes les fenêtres de la ville étaient fermées et obscures?
12. Quelle sorte de bus employait-on dans cette ville?
13. Quelles étaient les inscriptions qu'il cherchait désespérément dans la ville?
14. Pourquoi est-il obligé de s'arrêter tous les dix pas?
15. Après s'être promené dans les rues désertes, devant quel bâtiment arrive-t-il?
16. Qui trouve-t-il dans la salle d'attente de troisième classe?
17. Qui a inspecté l'état des choses dans cette salle d'attente?
18. Lors de son réveil où va-t-il déjeuner?
19. Que veut-il boire pour le petit déjeuner et pourquoi est-ce bien extraordinaire?
20. Quelle boisson finit-il par prendre?
21. Comment sont ses mains?
22. Où va-t-il pour se nettoyer un peu?
23. Où laisse-t-il sa valise pour s'en débarrasser pendant qu'il va se reconnaître dans la ville?
24. Quel est le mois de l'année où il arrive à Bleston?
25. Quelle sorte de pont aperçoit-il en quittant la gare?
26. Pourquoi ne peut-il pas aller chez Matthews and Sons tout de suite?
27. Comment s'y rend-il enfin?
28. Combien de messieurs travaillent dans le grand bureau de Matthews and Sons et combien de tables y a-t-il? Pour qui est réservée la dernière table de travail?
29. Qui est James Jenkins?
30. Pourquoi est-ce que tous les employés descendent à l'Écrou?
31. Dans quelle sorte de voiture vont-ils à cet hôtel?
32. Quelle sorte de chambre Revel habite-t-il?
33. Quels renseignements faut-il donner pour s'inscrire dans cet hôtel?
34. A quelle heure s'est-il couché et quelle heure était-il quand il s'est réveillé?

35. Quel temps fait-il pendant sa première journée à Bleston?
36. En quoi consiste le premier déjeuner que Revel prend avec Jenkins?
37. Pourquoi Revel trouve-t-il Jenkins si sympathique dès le début?

Sujets généraux: Répondre aux questions suivantes d'une manière plus détaillée.

1. Décrivez une gare anglaise en vous servant du vocabulaire présenté dans ce passage.
2. Décrivez les premières réactions de Revel à Bleston. Est-ce que ce sont des réactions favorables?
3. Discutez les ennuis linguistiques de Revel dès son arrivée à Bleston. Avec qui a-t-il du mal à s'entendre?

Composition:

1. En vous servant de vos propres expériences expliquez ce que veut dire Butor dans la citation suivante:

   Ainsi, chaque jour, éveillant de nouveaux jours harmoniques, transforme l'apparence du passé, et cette accession de certaines régions à la lumière généralement s'accompagne de l'obscurcissement d'autres jadis éclairées qui deviennent étrangères et muettes jusqu'à ce que, le temps ayant passé, d'autres échos viennent les réveiller.

2. Essayez d'analyser le mythe de l'imperméable et sa signification dans les romans et les films modernes.

THÈME D'IMITATION

Traduire en français:

At that moment the hero's train entered the station. Since it wasn't a through train, there were only two or three people in the car. It was only two o'clock in the morning. Had he known how incongruous it was to arrive at such an hour in a small English town, he might have postponed his trip by one day.

He got off the train and took his old suitcase, whose leather handle was coming apart [had become unsewn]. He began to breathe the air which seemed bitter to him. Suddenly he became very frightened and felt like fleeing. Picking up [use *soulever*] his suitcase, he started to walk through the station. Then he looked in his pockets for the letter sent to him by his new boss, Matthews and Son. The letter had in it the name of the hotel where he was supposed to stay. This document must have been lost in the train. After finding a taxi, he could mutter only a few words, which the driver could not even understand. Abandoned by the latter in front of the station, he started to wander about aimlessly through the deserted streets of the town. Almost losing his way, he arrived in front of another station. His feet were hurting him, and he had blisters on his hands. So he decided that he would have to spend the whole night in the waiting room. The next day, at daybreak, he decided to go to the station bar which had finally opened. The waitress looked at him severely as he asked for a glass of rum. "Not before eleven-thirty," she replied. Then he realized how dirty he was, thanks to the train and to the night he had spent in the station. He immediately went to the rest room to clean up, after a fashion. Finally, he went out into the town of Bleston. The place looked fake, even unreal.

Réseau aérien

Dans *Réseau aérien,* texte radiophonique (1962), Butor a tenté de rendre la poésie du voyage en avion dans cet âge de vitesse qu'est le nôtre. Il recrée l'atmosphère de dépaysement et d'enchantement qui envahit peu à peu l'esprit du voyageur, coupé de toute attache temporelle ou spatiale dans la cabine d'un avion se déplaçant plus vite que le son.

Butor reproduit la conversation de couples (cinq hommes ABCDE et cinq femmes *fghij*) qui dans dix avions faisant le tour du monde conversent, pensent, contemplent le kaléidoscope des paysages, répondent aux hôtesses de l'air, se laissent engouffrer dans l'instantanéité d'un jour interminable ou d'une nuit infinie, parce qu'ils passent en un court moment d'un fuseau horaire à un autre.

De ces dix couples deux sont partis d'Orly. Ils se rendent à Nouméa. L'un part vers l'est; l'autre se dirige vers l'ouest et devra changer à Los Angeles. Autour de ces quatre personnages dont Butor dessine une silhouette assez nette se déroulent les circonvolutions des conversations et des rêveries des passagers à la dérive dans le temps, mêlant dans leur subconscient expériences passées et projets futurs.

Les évocations de ce qui se passe dans chaque avion, divisées en paragraphes tantôt imprimés en caractères ordinaires quand ils décrivent, tantôt en italiques quand ils suggèrent, ont une sorte de structure interne. Entre parenthèses, il faut remarquer que cette alternance entre les passages en caractères ordinaires et ceux qui se composent d'italiques semblent indiquer une juxtaposition de voyages faits pendant le jour et d'autres faits pendant la nuit. Les italiques se réfèrent nettement à des trajets de clair de lune et les autres se passent quand il fait du soleil. On rencontre d'abord un homme qui dépeint ce qu'il voit par la fenêtre ou ce qu'il s'imagine voir. Les conversations des deux sexes, banales et entrecoupées, font suite à cette description qui se termine, soit par une projection dans l'arrivée future, soit par une rêverie de gens semi-éveillés. Dans cette rêverie rentre une vision surréaliste du monde où les éléments sont recréés d'après une poétique du rêve, vision d'autant plus surréaliste que tous ces avions qui tournent autour du monde, comme des chevaux de bois dans un manège, ont une perception simultanée mais totalement différente du monde et que le démiurge Butor tente d'en recréer l'unité en nous présentant simultanément la diversité du paysage extérieur et intérieur de chacun.

Les Nuages, les merveilleux nuages

(*Avion 7*)

B   Nuages, toujours les nuages, les blancs, les
merveilleux, les tourmentés.
    g   Archipels qui s'étirent et se lavent.
L'eau, toujours l'eau nue, l'eau perdue, l'eau
verte et blanche.
        Sans îles.
Tonnes d'émeraudes, millions d'écailles, milliers de milliards de sillons de verre.
        Comme au cœur d'une fleur verte transparente
aux étamines d'ivoire et au pistil bleu.
C   Bars, restaurants, boutiques hors taxes...[1]
    f   Tous les plaisirs d'Orly,[2] l'avant-goût de Paris.

---

1. *boutiques hors taxes:* duty-free shops.
2. *Orly:* the principal airport for the Paris region.

On ne s'y attardera pas.
    Continue.
Tabacs, liqueurs, parfums, articles de Paris...[3]
    Nous allons pouvoir flâner dans les rues,
    rêver sans argent devant les vitrines...   5

(*Avion 2*)

A *L'eau, toujours l'eau nue, l'eau perdue, l'eau noire.*
  i   *Sans îles.*
    Des tonnes de houille, des milliers, des millions,
    des milliards de vagues, de rides, milliers de
    milliards de lunules de lune.[4]   10
        Avant les îles.
    Tout ce nickel fondu, tout ce torrent de sels,
    tout ce tunnel de nuit.
        Mine en plein ciel.[5]

(*Avion 10*)

E *Des lieues et lieues d'eau noire entre cette ville*   15
    et nous-mêmes.
  i   *Cela ne suffira jamais.*
    Un œillet de lune au milieu des lys de nuages.
        Un couteau de lune [6] *tout imprégné des odeurs*
        de Saïgon.
    Augmentent nuages,[7] *nous fuyons.*   20

3. *articles de Paris:* knickknacks from Paris.
4. *lunules de lune:* lunulas of the moon (galaxies of small moons).
5. *en plein ciel:* high in the sky.
6. *Un œillet de lune:* poetically, a lunar carnation. *des lys de nuages:*
poetically, the lilylike clouds. *Un couteau de lune:* poetically, a blade-
shaped moon.
7. The inverted word order here in addition to the suppression of the
article indicates a typical stylistic device seen in Butor's writing to add an
element of ambiguity to the syntax. This deliberate ambiguity intensifies the
poetic feeling in this passage. Here the ambiguity allows for at least two

> *Tu retrouveras cette dent de lune à jamais*
> *cariée des nuits de là-bas.*[8]

F   *Ils proposent des formules de vacances.*
  i   *Tu ne vas pas songer à repartir déjà!*
Mais ce n'étaient pas des vacances!
      Je ne sais si papa voudra...
Nul besoin de lui.
      Eh bien, tu as pris goût aux voyages!

(*Avion 8*)

F   Ça ne te dirait rien, toi, la Perse?[9]
  g   Garder encore des enfants...
Ce n'est pas si désagréable.
      Le tour du monde en quatre-vingts familles.[10]
J'imagine des palais aux tentures de perles.
      J'imagine beaucoup de poussière.
D   Le thé.
  i   Le soleil baisse.
Les montagnes couleur de thé.
      Les ombres des montagnes couleur d'héliotrope.
Les neiges des montagnes couleur de femme
blanche.
      Que le soleil commence à dorer.

(*Avion 1*)

A   *Lune qui monte sur Bornéo.*
  i   *Crois-tu que nous soyons sur la partie inexplorée?*

---

possible interpretations: «les nuages augmentent» or «que les nuages augmentent» (let the clouds increase).
    8. *Tu retrouveras . . . des nuits de là-bas:* You will rediscover this
forever decayed moon-shaped tooth of those nights.
    9. *Ça ne te dirait rien, toi, la Perse?:* Wouldn't you care to go to Persia?
    10. *Le tour du monde en quatre-vingts familles:* an allusion to and a
pun on Jules Vernes's *Around the World in Eighty Days.*

Elle est au moins explorée par avion.
    Oui, mais sans carte, sans qu'on sache?
N'aie pas peur, ne crains rien.
    Je me sens loin et loin et loin, je me sens
    comme sur une autre terre.   5

    (*Avion* 9)

D L'aube.
 E   Le grand canyon [11] cette ravine toute noire où
    descend l'aube.
Violette et mauve et rose.
    Soleil qui perle.
Monte.   10
    Énorme flaque de lumière qui coule sur
    tout.
A Comme une lessive d'or.
 g   Sur tout ce cuivre.   15
Sur ces tourelles de rubis.
    Fonds de grenat.
Profondeurs d'améthyste.
    Où descend cette rosée d'or.

    (*Avion* 7)

B L'eau, toujours l'eau, toujours les nuages, tou-   20
jours les échafaudages mobiles.
 g   Un écheveau de soie grège.[12]
Un filet de soie perle.
    Les mailles et les mailles de laine.
Une boutonnière de bleu.   25
    Toute une traîne de satin neige.

11. *Le grand canyon:* an allusion to the Grand Canyon of the Colorado
River in Arizona.
12. *Un écheveau de soie grège:* a skein of beige-colored silk.

C Revoir la tour Eiffel au milieu des nuages.
f   Les échappées de bleu au-dessus de la
       Seine.
Une averse sur les marronniers.[13]
       Les cris des enfants au sortir de l'école.
Comme si les enfants ne criaient pas à Montréal!
       Et les marchés comme il n'y en a pas à
       Montréal.

(*Avion 2*)

A *Nous avons traversé l'équateur.*
i   *La lune baisse.*
Les ceintures.
       Les îles au milieu de leur bain de nickel.
       Troupeaux des phénix dormant sur la mer.
       L'aérodrome de corail entre le lagon et la mer.

(*Avion 10*)

E *Des heures et des heures d'Inde noire entre cette*
   ville et nous-mêmes.
i   *Une légion d'anges noirs.*
Les feux éteints de l'Inde, les cendres de l'Inde,
les obscures splendeurs de l'Inde.
       La lune monte derrière nous changeant les
       nuages en armes de fer.
Misères, croûtes et maigreurs, et fièvres et halè-
tements et pustules.[14]
       Et la lune horrible qui monte encore essai-
       mant remords et épidémies.[15]

13. *Une averse sur les marronniers:* a shower of rain over the horse-chestnut trees. (These trees are commonly found in the squares of Paris where school children often play.)
14. *Misères, croûtes et maigreurs, et fièvres et halètements et pustules:* Wretchedness, scabs and emaciations, and fevers and gasping and blisters.
15. *Et la lune horrible qui monte encore essaimant remords et épidé-*

F   *Tu devrais dormir.*
  i   *Et toi, Maman.*
      Oh, je ne sais si je pourrai dormir. Il me faut un
      lit et des draps.
        Qu'est-ce que tu fais?
      Une brassière.[16]   5
      Oui, tu me l'as déjà montrée.

      (*Avion* 8)

F   Doucement, doucement le soleil qui touche
    doucement l'horizon, remonte et qui retombe
    doucement.
                                     10
  g   Un ciel de paon, sol de faisans, un lointain
       d'ailes de pintades.[17]
    Douce fournaise, douce terre tendue de peaux,[18]
    douce fourrure de poussières.
       Un ciel d'agate, un ciel d'opales, teintes de   15
       roses.
    Tout est braise, tout est adoration du feu, tout
    est lèvres, lèvres qui s'attendent.
       Avec les yeux verts, avec les yeux d'or vert,
       avec les yeux d'or calciné qui vous épient.   20
D Tes longues lèvres, les douces lèvres, tes
    chaudes lèvres.
  i   Ta peau de sable, ta peau d'argile, ta peau
       de douces tuiles d'or.

---

mies: And the awesome moon which keeps climbing, scattering remorse and
epidemics.

16. *Une brassière:* a baby's shirt.

17. *Un ciel de paon, sol de faisans, un lointain d'ailes de pintades:* a
peacock-colored sky, a pheasant-colored soil, a distant horizon like the wings
of a guinea-hen.

18. *Douce fournaise, douce terre tendue de peaux:* Gentle furnace,
gentle earth covered with taught skins (perhaps a comparison of the earth
to a drum covered with taught animal skins that is about to vibrate).

Le vert de tes yeux, vivier de tes yeux, les
roses vertes de tes yeux.

L'île de tes yeux, la ville de tes yeux, les rues
ombreuses de tes yeux.

Perdus au milieu d'oiseaux criards, d'oiseaux
parleurs, d'oiseaux chanteurs et murmurants,
d'oiseaux fourmillant dans le soir, qui pleurent
et se calment et se délivrent d'une dernière note
dans le soir qui tombe doucement rapidement
qui envahit qui charme Téhéran.[19]

(Avion 1)

A   *Lune qui monte monte sur les rives de Bornéo.*
 i   *La forêt, ta forêt, la lune dans ta forêt.*
   Tu dors? Dors dans cette forêt, je te porterai
   dans cette forêt.

       Tellement épaisse, tellement inconnue, telle-
       ment peuplée de serpents.

   D'yeux de serpents, de sifflements de serpents, de
   grondements de volcans, de claquements de becs
   d'oiseaux.

       Tu me tiens, tu me portes, me fais franchir
       ruisseaux, tu me défends, me caresses, me
       fais boire, me couvres de fleurs, tu me laves,
       tu me fais couler sur la langue le jus d'un
       citron merveilleux.

19. *Téhéran:* the capital of Iran.

EXERCICES

Questions spécifiques:

1. A quoi les nuages font-ils penser l'auteur?
2. Quels plaisirs attendent les passagers de l'avion 7 quand ils arriveront à Paris?
3. Quelle est la vision qui intéresse le couple A*i* dans l'avion 2?
4. A quelles fleurs la passagère *j* de l'avion 10 compare-t-elle la lune et les nuages?
5. Quel métier la passagère *g* de l'avion 8 a-t-elle déjà fait?
6. Voit-elle d'un œil favorable la possibilité de reprendre la même occupation?
7. Quel est le pays survolé par les passagers de l'avion 1?
8. Quelles couleurs sont employées dans le texte pour évoquer le grand canyon?
9. Qu'est-ce qui symbolise Paris pour les passagers de l'avion 7?
10. Quels sont les mots employés par Butor pour évoquer l'Inde?
11. Quel est ce phénomène dont un passager parle dans l'avion 8: «Doucement, doucement le soleil qui touche/doucement l'horizon, remonte/et qui retombe doucement»?
12. Quels sont les thèmes lyriques qui s'entrecroisent dans le poème composé par les passagers de l'avion 8?.

Sujets généraux:

1. En vous aidant des éléments linguistiques que vous avez pu tirer de ce passage, essayez de composer un paragraphe dans lequel vous évoquez un pays, pressenti par vous, du haut d'un avion.
2. Faites (oralement ou par écrit) la description d'un des voyages en avion que vous avez accomplis.

Exercices de verbes:

1. Expliquez le sens des verbes suivants et employez chacun d'eux dans une phrase:

s'étirer   s'attarder

flâner   fuir
s'attendre   épier
envahir   franchir
couvrir   caresser

2. Employez dans une phrase chacun des verbes suivants accompagnés du verbe *faire:*

faire boire
faire couler
faire franchir
faire faire
faire crier

Mobile

Dans *Mobile* (1962) Butor consigne les expériences multiples qu'il a faites lors de sa découverte du continent américain. Le titre même du livre symbolise la nature de la recherche de l'auteur sur la réalité des Etats-Unis.

Le nouveau continent s'est présenté à ses yeux comme un de ces mobiles composés de pièces détachées ayant chacune un mouvement autonome, mais décrivant toutes dans l'espace un tracé harmonieux les unes par rapport aux autres. Butor tente de saisir par delà les différences immenses, l'essence de l'unité américaine dans un territoire aux proportions gigantesques, peuplé d'êtres humains de races diverses. Il fait un inventaire, présenté par ordre alphabétique, de tous les états de l'Amérique du Nord. Mais, afin d'assouplir cette classification arbitraire trop stricte il prend comme point de repère des noms de villes, communs à plusieurs états américains. Le lecteur saute alors d'état en état, de ville en ville, en compagnie de l'auteur. Artificialité de créateur, dira-t-on? Non, certes, car Butor par ces bonds dans l'espace veut nous signifier la détermination que l'Amérique a prise de se couper de son passé historique et culturel afin de vivre dans une sorte d'instantanéité.

Dès lors, certaines villes, comme Washington, créées d'une seule pièce sur un plan géométrique bien précis, deviennent le symbole de la volonté américaine de fabriquer du tout au tout leur réalité, voire leurs mythes (comme ceux de leurs grands hommes), à travers lesquels 200.000.000 d'Américains se reconnaîtront comme frères. Car, ce n'est certes pas, dit Butor, par la religion qu'ils atteindront à l'unité dans un pays où l'émiettement des dénominations ajoute encore à la fragmentation infinie des croyances.

Un seul lien existe vraiment dans toute la nation: celui de la similitude des objets fabriqués offerts dans les boutiques, dans les

catalogues qui déversent leur baume consolateur et unificateur
dans l'esprit de celui qui les consulte. Sur les routes, les voitures
de marque déterminée deviennent des points de repère dans un
continent à la dérive; les sites naturels, comme les chutes du
Niagara ou les grandes forêts, transformés en lieux de tourisme
sont devenus eux-mêmes de rassurants objets de consommation.

Dans son ouvrage où des courants multiples s'entrecroisent,
s'enchevêtrent—poèmes lyriques sur les villes ou sur les grands
espaces entre ces villes, reproductions de passages tirés de livres
de voyageurs ou de livres d'histoire, extraits de déclarations historiques des grands hommes américains, réclames de catalogues,
slogans divers, évocations de la nature—Butor recrée une Amérique intemporelle, certes, mais qui est bien près de retrouver son
unité à l'intérieur de sa multiplicité. *Mobile* est un de ces ouvrages
où l'auteur expérimente avec la disposition des mots et des caractères imprimés sur la page blanche. Les caractères ordinaires
semblent indiquer l'effort de situer les épisodes du livre géo-
graphiquement, tandis que les italiques représentent les observa-
tions spécifiques faites par le touriste lorsqu'il visite les sites déjà
énumérés.

Et le livre se termine sur une note d'espoir: une des voix les
plus poétiques de la symphonie des États-Unis chante:

Sommeil...
　　　　　Songes...
　　　　　　　　　　　　Amérique de nuit...
O masque!
　　　　　Monstres...
　　　　　　　　　　　　Mensonges...
Tremblement!
　　　　　O patrie de vitesses...
　　　　　　　　　　　　Nid de rencontres...
Abbaye de déracinement!
　　　　　O Amérique sans la banque...
　　　　　O Amérique renversée!
　　　　　O gerbe de trajets...

Chœur de races...
                    Dans des années et des années...
Restera-t-il pierre sur pierre?
                            Méconnaissable enfin reconnaissable.
Tissu de sources!
            Palpitation sous l'épiderme des États...
            Richissime indigence...
Comme nous t'attendons, Amérique!
Comme nous attendons ton retournement!
Comme nous t'épions dans la nuit!

Le Sud-ouest américain

DOUGLAS, près du monument national de la baie des Glaciers [1] (on appelle monument national une curiosité naturelle
ou archéologique que l'on a jugée digne d'être préservée de
l'indiscrétion des amateurs ou des colons), nuit noire à
DOUGLAS, temps des montagnes, ARIZONA, far-west,—la   5
réserve des Indiens Navajos (les Indiens des États-Unis, au
nombre d'environ cinq cent mille, vivent pour la plupart
dans des réserves dispersées sur tout le territoire, où ils ont
été parqués peu à peu lors de l'occupation progressive du
pays par l'envahisseur blanc. Il ne serait pas gentil de les   10
comparer à des camps de concentration. Ce serait même un
peu injuste: certaines de ces réserves sont touristiques).

   «*En dépit de l'immensité du Sud-Ouest, ce sont souvent
   de petites choses vues, entendues, senties, qui créent
   les impressions les plus durables. En voici quelques   15
   exemples:*

   1. *la baie des Glaciers:* Glacier National Park.

-*des lacets de chili écarlate, séchant contre des murs de terre,*

-*un manteau de trembles dorés couvrant les flancs d'une montagne,*

5 -*souple relaxation de Navajos aux portes d'une épicerie,*

-*l'allure inquiétante de l'oiseau-coureur en fuite,*

-*une massive tête d'orage* [2] *traînant après soi ses tresses de pluie,*

-*une file d'autos résignées attendant la fin d'une brusque*

10 *inondation,*

-*une file de bœufs attendant au point d'eau,* [3]

les échos et silences dans une grande ruine pueblo,

-*le beuglement du bétail qu'on rassemble,*

-*l'arôme entêtant du café sur un feu de bois,*

15 -*de jeunes garnements à poil* [4] *s'éclaboussant dans un ré-servoir,*

-*le cri perçant d'un cheval rebelle à un rodéo,*

-*le gémissement d'un coyote et le jappement des autres en réponse la nuit,*

20 -*la palpitation d'un tambour, et le chant strident d'une danse indienne,*

-*l'odeur moisie de la brousse après une averse,*

-*le braiment lointain d'un âne sauvage au lever du jour,*

-*l'âcre odeur de chair brûlée dans un corral où l'on mar-*

25 *que les bêtes,*

-*soudain l'orage d'été attaque sa lapidation,* [5]

-*l'inimaginable immensité du grand Canyon,*

-*le jus d'un épais steak grillé sur des braises,*

-*l'éclaboussement et la secousse d'une truite happant*

30 *votre mouche,*

-*la saveur des enchiladas enrobées dans leur sauce au pi-*

2. *une massive tête d'orage:* a massive thunderhead.
3. *point d'eau:* water-hole.
4. *de jeunes garnements à poil:* young scamps in their birthday suits.
5. *attaque sa lapidation:* attacks with the strength of stones.

ment» (*extrait du «Sud-Ouest américain, par Dodge et
Zim,*[6] *avec plus de quatre cents illustrations en couleurs,*
-*merveilles de la nature,*
-*villages indiens,*
-*sites historiques,*
-*routes pittoresques,*
-*itinéraires,*
-*parcs publics,*
-*minéraux,*
-*animaux,*
-*oiseaux,*
-*arbres,*
-*fleurs*»).

Le monument national de la Forêt Pétrifiée,—nuit noire à
FLORENCE, sur la rivière Gila,[7] près du monument national de la Casa Grande,...

Le Pèlerinage à la ville sacrée de Washington

*La pratique religieuse la plus importante des Européens
d'Amérique est le pèlerinage à la ville sacrée de Washington,
où se trouvent les principaux temples et les organes essentiels
du gouvernement.*

Le monument à Washington illuminé.

*Le territoire de cette ville, quasi rectangulaire (on sait quelle
valeur fondamentale les Européens d'Amérique ont accordée*

6. N. Dodge and H. S. Zim: *The American Southwest* (New York:
Simon and Schuster, 1955).
7. *la rivière Gila:* The Gila River, the major tributary of the Colorado
River in southern Arizona.

*à l'angle droit), est enclavé dans l'État de Maryland, mais il
n'en fait point partie. C'est un espace à part. Ses habitants
ne participent point aux «élections», les plus fameuses des
cérémonies politiques des autres citoyens américains.*

5   *Le monument à Jefferson illuminé.*

*Le nom même de ce lieu en dehors du lieu: district of Co-
lumbia, souligne son extraterritorialité: il évoque en effet
un Européen d'une autre langue, qui ne s'établit jamais sur
ce continent, mais en annonça le surgissement hors de*

10 *l'inconnu.*

              Le monument à Lincoln illuminé.

*Le nom de Washington désigne plutôt l'ensemble des insti-
tutions et monuments. Il remonte à un habile général qui
prit la direction des opérations lors de la guerre d'indépen-*

15 *dance, et fut rapidement divinisé.*

                   Le Capitole illuminé.

*L'homme était fort estimable, et les dévots soigneux ne
manqueront point d'aller visiter sa jolie maison de Mount
Vernon, mais il était évidemment sans commune mesure*

20 *avec la divinité qui l'avait pris pour instrument et que l'on
désigne aujourd'hui sous son nom. C'est pourquoi, si on la
célèbre quelquefois sous les traits de celui-ci, dans la ville
même de Washington, on a estimé que toute figuration humaine serait quasi blasphématoire, et on l'a représentée sous*

25 *la forme d'un immense obélisque.*

La Maison-Blanche illuminée.

*Par cet obélisque passe un axe est-ouest qui joint le palais du
Capitole au temple de Lincoln. Un peu à l'ouest de l'obélisque, passe l'autre branche de la croix, un axe joignant le*

30 *palais de la Maison-Blanche au temple de Jefferson.*

La Cour suprême illuminée.

C'est ce dispositif, à la fois politique et symbolique, qui est l'âme des États-Unis d'Amérique.

La villa du général Lee illuminée.

Les trois divinités: Washington, Jefferson et Lincoln, sont les plus importantes du panthéon américain; on ne s'étonnera donc point de les trouver sculptées dans des proportions colossales sur le mont Rushmore, Dakota du Sud. Les Européens d'Amérique considèrent que l'artisan qui a exécuté ce travail a fait preuve d'une grande dévotion.

Le Département du trésor illuminé.

Il a ajouté la représentation d'un autre dieu, Théodore Roosevelt, mais la plupart des théologiens actuels s'accordent à penser qu'il s'agit là d'une erreur de perspective.[8] Théodore Roosevelt ne joue certainement pas dans le panthéon des Européens d'Amérique un rôle comparable à celui des trois grands dieux. Celui qui s'en approcherait le plus serait Benjamin Franklin. On trouvera son temple principal dans la ville de Philadelphie, Pennsylvanie, sous le nom de Franklin Institute...

Si, dans le cas de Washington, la divinisation s'est exprimée par le recours à une forme géométrique, dans le cas de Lincoln et de Jefferson, et aussi celui de Franklin à Philadelphie, on s'est contenté d'agrandir la figure humaine à des proportions monumentales.

Soirée à l'ambassade de France.

C'est qu'en ce qui concerne Lincoln et Jefferson,[9] il était indispensable de conserver l'élément fondamental du regard,

8. *la plupart des théologiens . . . une erreur de perspective:* most of the theologians agree that an error of perspective is involved here.

9. *C'est qu'en ce qui concerne Lincoln et Jefferson:* Insofar as Lincoln and Jefferson are concerned.

car les représentants des divers États qui viennent régler
leurs différends [10] *dans le palais nommé Capitole (en souve-*
nir d'une colline de Rome, Italie, sur laquelle se trouvait un
temple de Jupiter) n'adressent point de prières à Abraham
5   *Lincoln, mais c'est lui qui, assis dans un énorme fauteuil, les*
mains à la hauteur de ses épaules, l'air accablé, les fixe cons-
tamment à travers l'obélisque de Washington réfléchi par un
miroir d'eau.

Soirée à l'ambassade d'Angleterre.

10   *Les pèlerins, qu'on appelle touristes, viennent vérifier ce*
regard qui les réconforte parce qu'ils se méfient de leurs
représentants, et le photographier pour en rapporter l'image
chez eux.

Soirée à l'ambassade d'Allemagne.

15   *Thomas Jefferson, debout au milieu de sa rotonde, fixe,* [11] *lui,*
le palais de la Maison-Blanche, demeure du président des
États-Unis. Les Européens d'Amérique ont sans doute
estimé que le président avait besoin d'une surveillance en-
core plus étroite, ou bien que [12] *le regard de Thomas Jeffer-*
20   *son était moins pur, moins aigu que celui d'Abraham Lincoln,*
car ils se sont arrangés pour que le monument à Washington
soit légèrement à l'est de l'axe Jefferson Maison-Blanche et
qu'il ne gênât point le trajet optique. [13]

Soirée à l'ambassade de Russie.

25   *Tous ces monuments sont naturellement d'un blanc étince-*
lant.

10. *qui viennent régler leurs différends:* who come to settle their dis-
agreements.
11. *fixe:* stares at.
12. *ou bien que:* or else.
13. *le trajet optique:* the span of vision.

Soirée à l'ambassade d'Afrique du Sud.

On considère que le moment le plus favorable au pèlerinage à Washington est le début d'avril, lors de la floraison des cerisiers, don d'une nation d'outre-Pacifique,[14] que l'on a plantés autour du bassin où se mire,[15] vu de la Maison-Blanche, le temple ou monument de Jefferson. 5

Soirée à l'ambassade du Japon.

A cette occasion, les marches du temple sont transformées en une sorte de théâtre et l'on y exécute des danses et des chants. 10

Soirée à l'ambassade de Grèce.

Lorsque les cerisiers ne sont pas encore fleuris lors du jour fixé pour ce festival, on voit se peindre une vive consternation sur le visage des pèlerins. Il est certain que cela est considéré comme un mauvais signe. Aussi[16] les voit-on, 15 *pendant les derniers jours de mars, se promener parmi les arbres en les examinant avec anxiété, les suppliant en leur cœur de pousser enfin leurs boutons.*

Soirée à la Maison-Blanche.

A ces organes essentiels, bien d'autres secondaires s'adjoi- 20 *gnent. Ainsi les papiers sacrés sont conservés dans un temple dit des Archives nationales. La «Déclaration d'Indépendance», la «Constitution des États-Unis», la «Déclaration des Droits» y sont scellées dans des coffres de bronze remplis d'hélium; des filtres spéciaux les protègent contre les mauvais* 25 *rayons lumineux; les reliquaires dans lesquels on les expose sont construits de telle sorte qu'ils puissent s'enfoncer en un*

14. *une nation d'outre-Pacifique:* an Asiatic nation.
15. *se mire:* is reflected.
16. *Aussi:* Here, at the beginning of a sentence, *aussi* must be translated as "consequently" or "therefore."

instant dans de profondes cryptes à l'abri des bombes, du feu et des secousses...

EXERCICES

«Le Sud-ouest américain»

Questions spécifiques:

1. Selon Butor, qu'est-ce qu'un monument national dans le Far-West américain?
2. Contre qui faut-il préserver ces monuments nationaux?
3. Combien d'Indiens trouve-t-on en Amérique?
4. Comment peut-on définir une réserve d'Indiens?
5. Quelles sont les choses du Far-West qui ont fait l'impression la plus durable sur Butor?
6. Pouvez-vous citer quelques-uns des spectacles visuels qui ont attiré le plus son attention?
7. Quels sont les sons et les arômes que l'auteur évoque?
8. Quels sont les endroits qu'il visite lors de son passage à travers le Sud-Ouest?

Sujets généraux:

1. Croyez-vous que Michel Butor ait bien évoqué l'esprit du sud-ouest américain? A-t-il réussi à percer le mystère de son charme?
2. Ses réactions vous semblent-elles justes quand il fait allusion au sort des Indiens américains?
3. Dans un pays aux dimensions aussi imposantes que celles du Far-West, pourquoi Butor insiste-t-il plutôt sur «les petites choses vues» que sur les énormes curiosités naturelles? Son choix se justifie-t-il?

Thème d'imitation

A French tourist has just arrived in Douglas, Arizona, after a short visit to Douglas, Montana. It is pitch dark. He arrives in the heart of the Navajo reservation, a territory in which the Indians have gradually settled following the occupation of their country by the White invaders. Instead of being impressed mainly by the scenery and the immensity of the land, this Frenchman seems more attracted by some of the tiny curiosities of the region. For example, he remembers seeing such strange things as a string of chili drying against the walls of a house, a storm cloud on the horizon, a thick steak being broiled on charcoal, enchiladas coated with a pimento sauce, unusual birds, trees, and animals. Everything creates a magical impression on our Frenchman, an impression which will be hard to forget when he returns to France.

«Le Pèlerinage à la ville sacrée de Washington»

Question spécifiques:

1. Quelle est l'expression étrange dont l'auteur se sert pour faire allusion au voyage que tout Américain fait à la ville de Washington? Sur quoi cette formule est-elle copiée?
2. Comment ces pèlerins considèrent-ils la ville de Washington?
3. Quelle est la forme géométrique de cette agglomération?
4. Où se situe Washington par rapport à l'état du Maryland?
5. Selon Butor, quelle est la cérémonie politique la plus fameuse pour les citoyens américains?
6. Quelles sont les qualités que Butor reconnaît à George Washington en tant qu'homme? Selon lui, y a-t-il une commune mesure entre l'homme et le symbole qu'il est devenu?
7. Pourquoi le monument de George Washington ne contient-il pas de statue à l'image de ce dernier?

8. Pourquoi les monuments de Lincoln et de Jefferson, au contraire, contiennent-ils les statues des deux présidents?
9. Selon l'auteur, quelles sont les trois divinités de l'histoire américaine?
10. Que peut-on voir sur le mont Rushmore, dans le Dakota du Sud?
11. Quel est le quatrième dieu que l'on pourrait ajouter avec raison à la trinité Washington, Jefferson, Lincoln?
12. Où se trouve le monument le plus important dédié à Benjamin Franklin?
13. Quelles sont les réceptions officielles que Butor évoque dans ce passage?
14. De quelle couleur sont tous ces monuments?
15. Quel est le moment de l'année le plus propice pour visiter la ville de Washington?
16. Qui a donné à la ville les fameux cerisiers que l'on vient voir de partout quand ils sont en fleur?
17. Quels sont les documents les plus sacrés pour les Américains?
18. Où ces papiers précieux sont-ils conservés?
19. Par quelle méthode le gouvernement préserve-t-il ces documents?
20. Quels sont les dangers contre lesquels on préserve ces papiers?

Sujets généraux:

1. Quels effets Butor tire-t-il de cette comparaison implicite de Washington et de La Mecque?
2. Relevez tous les mots qui le long du passage appartiennent au vocabulaire des rites et des cultes religieux. Quel est l'effet produit par cette dissémination de mots?
3. Butor a construit *Mobile* comme un morceau de musique à plusieurs voix. Essayez de démêler la valeur de ces différentes voix. Comment Butor represente-t-il visuellement le passage d'une partie à une autre?
4. A votre avis, Butor rend-il vraiment justice à la beauté de la ville de Washington? Justifiez votre point de vue.

THÈME D'IMITATION

The French tourist makes an almost religious pilgrimage to the capital of the nation. He discovers that most Americans also go there with a kind of religious feeling of admiration for the various monuments and buildings that characterize the city. The Frenchman makes an attempt at comparing the Jefferson and Lincoln monuments with religious temples. He is impressed by the fact that those dedicated to the memory of these two presidents contain enormous statues which represent the physical traits of these men, whereas the monument commemorating George Washington is a geometrical obelisk. He reasons that it would be somewhat blasphemous to represent the great Washington in a figurative manner. Besides visiting the monuments to the presidents, our Frenchman goes to Mount Vernon (Washington's former residence), the Supreme Court, General Lee's mansion, the building of the Department of the Treasury, and the White House. His stay in Washington is enhanced by many invitations to attend evening parties at several prominent embassies. Washington, in his opinion, is not only a capital but also a great center of social activities.

Description de San Marco

Dans la *Description de San Marco* (1963), Butor brosse un tableau précis et historique et en même temps procède à une évocation verbale de la cathédrale de Saint-Marc à Venise, telle qu'il l'a vue un jour d'été, touriste noyé parmi les touristes, engouffré dans le torrent humain qui se déversait continuellement sur la place Saint-Marc.

Cet ouvrage-guide, dédié à Igor Stravinsky pour son quatre-vingtième anniversaire, fait penser par sa présentation visuelle à une symphonie muette qui ne pourrait «prendre toute sa vertu qu'après avoir été baigné[e]» dans la contemplation même du monument «comme dans une eau».[1] Butor entend nous inviter au voyage en nous aidant à déchiffrer la signification dont l'église Saint-Marc s'est revêtue pour lui.

Il tente de reconstituer le fouillis, le fourmillement des diverses perceptions qui assaillent le visiteur de tous côtés quand il est porté par la foule. Il reproduit les discours décousus des touristes qui, peu conscients de la beauté du lieu, se préoccupent plutôt de leurs petits intérêts personnels. Ils ont soif, ils veulent envoyer des cartes-postales à leurs amis, ils sont mécontents de leur hôtel, ils veulent acheter des souvenirs. Au milieu de tout cela l'auteur, seul être qui semble apprécier la magnificence du lieu, fait des efforts pour atteindre à l'essence de ce grand monument religieux et historique qu'est la cathédrale Saint-Marc.

Butor présente son œuvre, pour reprendre le mot du critique Jean Roudaut, sous forme de «polyphonie spatiale».[2] On peut y distinguer trois voix qui sont discernables par leur disposition

---

1. Michel Butor, *Description de San Marco* (Paris: Gallimard, 1963), couverture du dos.
2. Jean Roudaut, *Michel Butor ou le livre futur*, p. 36.

originale sur la page. La première qui transpose celle de la foule des touristes dont les cris, les réflexions, les interjections en italien, en français et en anglais sont représentés sur la page du livre comme un alinéa couvrant presque la largeur de la page, composé en italiques, alinéa qui parfois s'arrête, non pas à une coupure logique de phrase mais comme dans l'expérience vécue au milieu d'une phrase. Ce courant de conscience collectif tente de représenter l'émiettement des sollicitations extérieures que la multitude des visiteurs produit sur vous si l'on n'y prend pas garde.

La deuxième voix, représentée par un paragraphe de largeur moyenne, est consacrée à la représentation visuelle de tous les aspects d'ordre physique, spirituel ou historique de la cathédrale. Commençant par la façade, Butor réussit, tout en reproduisant les deux autres voix, à décrire dans leur suite logique le vestibule, l'intérieur, le baptistère, les chapelles et les dépendances de l'église.

La troisième voix, n'occupant qu'une très petite largeur de la page, représente les éclairs de vision proprement originale que Butor éprouve devant la cathédrale elle-même. Ce sont des notations fugitives et toutes personnelles dont le lecteur peut enfin saisir l'importance après les avoir dégagées des autres remarques, des autres voix. Ce sont parfois, au contraire, de longues citations, la plupart du temps tirées de la Bible.

Ces voix s'entremêlent et Butor poursuit imperturbablement sa recherche. Et bientôt, à travers les différents niveaux de description, le lecteur perçoit qu'il existe des correspondances entre les criailleries dans toutes les langues de cette foule de Venise et la cathédrale elle-même avec son campanile suggérant la tour de Babel, et que sous son admirable description historique et esthétique de l'architecture du bâtiment se cachent des signes et que Venise, présentée ainsi dans sa totalité et ses contradictions, devient le symbole de la recherche inlassable de l'homme pour son unité. «Venise, avec son contrôle du commerce barbaresque, avec son ghetto, ses liaisons avec les royaumes terre ferme, comme point de convergence des groupes dispersés à Babel. Orgueil, audace de Venise, la basilique et son campanile comme lieu où

les langues viennent se retrouver, les différents peuples s'entendre, la ville de la Pentecôte.»[3]

3. Michel Butor, *Description de San Marco*, p. 45–46.

Description de la basilique de San Marco à Venise

*Ah!—La gondola, gondola!—Oh!—Grazie!—Il faut absolu-
ment que je lui rapporte un très joli cadeau de Venise;
pensez-vous qu'un collier comme celui-ci lui ferait plaisir?—
Mais oui, c'est lui! C'est bien lui! Décidément,[1] on ren-*
5   *contre tout le monde ici!—Garçon! Garçon! Cameriere![2]
Un peu de glace s'il vous plaît!—Oh!—Et vous, où êtes-vous
logés? Vous n'avez pas eu trop de difficultés?*

Les gens sous les arcades, les gens qui regardent les
vitrines, qui se retournent, hésitent, s'interrogent, qui re-
10   viennent, passent de l'ombre au soleil à l'ombre au soleil
à l'ombre; les pantalons clairs des hommes, les robes
fraîches des femmes, les lunettes noires ou bleues, rondes,
rectangulaires, ailes de papillons, dorées, incrustées de
fausses pierres, les chapeaux, les fichus, les décolletés, les
15   fards.

Quelques colonnes entrevues entre les deux doigts de
cette main aux ongles étincelants.

Les gens assis aux tables des cafés, écoutant les valses
et les tangos qui se répondent aux divers orchestres,
20   déployant leurs journaux en toutes langues, se penchant
pour rédiger leurs cartes postales, recharger leurs ap-

1. *Décidément:* Heavens! Gosh!
2. *Cameriere:* Italian term for "waiter."

pareils photographiques, tournant le sucre dans leur tasse, débarrassant leur paille de sa gaine de papier, feuilletant leurs guides, comptant leurs lires,[3] s'observant les uns les autres, spectacle les uns pour les autres, regardant les uns par-dessus les épaules des autres.

Une coupole apparaissant entre deux verres de jus de fruits.

Les gens qui coulent comme un flot, les groupes qui se font et se défont, les plus pressés se traçant un chemin parmi les autres, les fatigués cherchant une place, s'écroulant en s'épongeant, en s'éventant, se détendant, souriant, allongeant leurs jambes, se précipitant pour serrer la main à une vieille connaissance, l'invitant, lui faisant apprécier leurs achats et leurs découvertes.

—Ah!—Monsieur! Monsieur! Voudriez-vous une jolie photographie?—Nous avons trouvé une chambre à l'hôtel Gorizia.—Regardez ce collier de perles bleues, un peu irisées, sur la troisième étagère, non, pas celui-là un peu plus loin!—Et vous pensez vraiment que ça lui ira bien, qu'elle appréciera?—Vous ne pouvez

Le murmure de tout cela, le bruit des pas, les heurts [4] des instruments quand ils ne jouent pas, le lointain bruit de l'eau et des bateaux, les tintements des verres, les claquements des bannières, le froissement des étoffes, le crissement [5] des chaises et des tables de métal traînées sur le dallage.

Entre deux ailes de pigeons en vol, un clocheton d'or et de plomb.

3. *lires:* the plural form in French of "lira," the Italian monetary unit.
4. *les heurts:* the bumping.
5. *les tintements...le crissement:* the clinking of the glasses, the flapping of the banners, the crumpling sounds of cloth being handled, the grating noise.

Et tous les cris, toutes les conversations emportées
dans ce mouvement, dans cette houle de foule, dans ce
lent tourbillonnement, ces fragments de dialogues que
l'on saisit, qui vont, viennent, s'approchent, tournent et
disparaissent, montent, s'engloutissent, transparaissent
les uns dans les autres,[6] s'interrompent les uns les autres,
glissent, dans toutes les langues, éclats, relents, avec des
thèmes qui émergent, s'organisent en cascades, canons,
agglomérats, cycles.

pas vous tromper, vous prenez le vaporetto[7] jusqu'à la sta-
tion San Barnaba, vous vous enfilez dans la ruelle à droite,[8]
et c'est à deux pas.[9]—Garçon! Garçon! Cameriere! Deux jus
d'orange, s'il vous plaît!—Mais oui! C'est lui! C'est bien lui!

Ces phrases, ces mots, ces slogans, roulant les uns
contre les autres, s'usant les uns les autres comme des
galets,[10] avec des violences soudaines, tels des rocs, avec
des plages de sable où tout est pulvérisé, avec des moments de tumulte—on est recouvert par la vague—et
puis des accalmies, une grande nappe de silence qui
passe.

Tous ces petits personnages que l'on voit passer devant les colonnes, ceux qui font des signes sur le
balcon.

La place toujours hantée par ce murmure, par cette
circulation de bavardage, même lorsqu'elle est vide, en

6. *transparaissent les uns dans les autres:* [the fragments of the dia-
logue] pierce through each other.

7. *le vaporetto:* a small steam-powered boat used as a bus on the canals
of Venice.

8. *vous vous enfilez dans la ruelle à droite:* you worm your way into
the narrow street on the right.

9. *c'est à deux pas:* it is very close by.

10. *s'usant . . . comme des galets:* wearing away one against the
other, like pebbles of the sea.

plein hiver, au petit matin [11] (dans cette solitude grise
et pluvieuse, un fantôme de foule hante les dalles et les
vitres), par ce pépiement, à la fois si loin de la basilique,
et pourtant constamment, secrètement orienté, influencé
par elle, absorbé par elle, imbibé.   5

*Décidément, on rencontre tout le monde...—Un
pigeon.—Ah!—La gondola, gondola!—Garçon! Cameriere! Un Campari,* [12] *s'il vous plaît, un café*

Ceux qui sont là pour la première fois, ceux qui sont
déjà depuis plusieurs jours à Venise, ceux qui sont déjà   10
venus une autre année, ceux qui ont l'habitude de venir à
Venise, ceux qui ont une installation à Venise, et les
Vénitiens: ceux qui reviennent de temps en temps à
Venise, ceux qui n'ont pas quitté Venise.

　　L'éclat du soleil cuivré sur la grande baie.   15

Ceux qui parlent le vénitien, ceux dont l'italien est la
langue maternelle, ceux qui le parlent couramment, ceux
qui l'apprennent, ceux qui savent très bien se débrouiller [13] pour quelques jours, ceux qui préfèrent ne pas se
risquer hors de leur propre langue.   20

　　L'ombre d'un nuage bas qui passe, l'ombre d'un envol
　　de pigeons.

Ceux qui viennent pour leur voyage de noces, ceux qui
viennent pour se rappeler leur voyage de noces, ceux qui
n'avaient pas pu se payer le voyage [14] lors de leurs noces,   25
et qui aujourd'hui enfin, comme les affaires ne marchent

11. *au petit matin:* at the break of day.
12. *un Campari:* an Italian apéritif.
13. *ceux qui savent très bien se débrouiller:* those who manage with
the language.
14. *ceux qui n'avaient pas pu se payer le voyage:* those who hadn't
been able to afford the trip.

pas trop mal... Toutes ces alliances,[15] toutes ces bagues,
toute cette poussière d'or qui saupoudre la foule.

frappé, et une cassata! [16]—*Regardez ce verre vert, un*
peu irisé, sur la deuxième étagère, non, pas celui-là,
5 *un peu plus loin.—A vrai dire, moi, oui, je crois que*
j'aimerais mieux celui-ci.—C'est lui? Mais oui! C'est bien
lui! Décidément, on rencontre tout le monde ici!—
How do you say in italian a glass?—Et vous, où

De cette bruine de Babel, de ce constant ruissellement,
10 je n'ai pu saisir que l'écume pour la faire courir en filigrane de page en page,[17] pour les en baigner, pour en
pénétrer les blancs plus ou moins marqués du papier
entre les blocs, les piliers de ma construction à l'image de
celle de Saint-Marc.[18]

20 Les cinq portes, les cinq coupoles.

Toutes ces phrases de langues inconnues ou trop peu
familières, qu'il m'était impossible de noter, tous ces mots
passant trop vite, dont il ne restait plus qu'un bruit in-
intelligible, ceux que je saisissais bien comme mots, mais
15 sans pouvoir rétablir les phrases dont ils se trouvaient
détachés par les écrans d'autres paroles ou les oscillations
de l'attention.[19] Je n'ai pu conserver que quelques pointes,

15. *Toutes ces alliances:* All those wedding bands.

16. [*un café*] *frappé et une cassata:* an iced [coffee], and one cassata
(an Italian ice cream dish).

17. *je n'ai pu saisir . . . de page en page:* I have been able to grasp
only the light surface, the foam of this conversation, letting it flow in a
stream as light as the watermark from page to page.

18. *à l'image de celle de Saint-Marc:* What Butor is saying in the
passage above is that he is recapturing the sounds of the conversations on
the white embossed pages of his writing pad. He compares the disposition
of the words and paragraphs he has written («les piliers de ma construction»)
with the architectural setting of St. Mark's Cathedral.

19. *ceux que . . . l'attention:* those which had meaning for me as
words, but without my being able to re-establish the sentences from which

les crêtes, comme un peintre qui dessine une mer un peu agitée, juste ce qu'il fallait pour faire tourner ce murmure,[20] lui faire éclairer, refléter les objets qu'il baigne comme les eaux dans un canal.

*êtes-vous logés? Vous n'avez pas eu trop de difficultés?   5
—Regardez cette énorme bouteille sombre, sur la première étagère, non, pas, celle-ci, un peu plus loin.—Ah!*

Car l'eau de la foule est aussi indispensable à la façade de Saint-Marc que l'eau des canaux à celles des palais. Alors que [21] tant de monuments anciens sont pro-   10
fondément dénaturés par le touriste qui s'y rue, nous donnent l'impression d'être profanés, même par nous, bien sûr, quand nous n'y venons pas dans un esprit de stricte étude, ces lieux réservés, secrets, fermés, interdits, brusquement éventrés, ces lieux de silence et de contempla-   15
tion brusquement livrés au jacassement, la basilique, elle,[22] avec la ville qui l'entoure, n'a rien à craindre de cette faune, et de notre propre frivolité; elle est née, elle s'est continuée dans le constant regard du visiteur, ses artistes ont travaillé au milieu des conversations des   20
marins et marchands. Depuis le début du XIIIe siècle cette façade est une vitrine, une montre d'antiquités.[23] Les boutiques sous les arcades sont en vérité son prolongement.

Pièce maîtresse de la collection: les quatre chevaux   25
de bronze au-dessus du portail principal, le seul qua-

---

they had been drawn, because of the filter of other words or the wavering of my attention.

20. *juste ce qu'il fallait pour faire tourner ce murmure:* just enough to change this murmur.

21. *alors que:* whereas.

22. *la basilique, elle:* the main clause of this complex sentence begins here. The «elle» refers to «basilique.» The entire preceding section includes a series of secondary clauses which reinforce the principal clause.

23. *une montre d'antiquité:* a showcase of antiquity.

drige antique subsistant, œuvre grecque, pense-t-on,
du IVe ou IIIe siècle avant Jésus-Christ, pièce disputée
au long des âges,[24] déjà repérée sans doute par Néron[25]
pour couronner son arc de triomphe, transportée par
5   Constantin[26] dans sa nouvelle Rome où elle couron-
nait l'hippodrome, et raflée en dernier lieu par Napoléon pour l'arc de triomphe du Carrousel[27] où elle
resta jusqu'à ce que le congrès de Vienne[28] en eût
ordonné la restitution.

10   Ceci n'empêche point le secret. Même les boutiques ont
des arrières, des resserres. La place fait déjà partie de la
basilique. De très savants passages amèneront ceux qui
voudront jusqu'à son cœur.

—*Monsieur! Monsieur! Voulez-vous une jolie photographie?*
15   —*Mademoiselle! Eh! Mademoiselle!—Prego.[29]—Comment
dit-on en italien un jus d'orange?—Et voici la colonne de
Saint-Théodore.—Una bella fotografia, Mademoiselle!—
Nous avons pu trouver une chambre très convenable à l'hôtel
Terminus.*

24. *pièce disputée au long des âges:* a piece of sculpture which has
been fought over in the course of history.
25. *Néron:* Roman emperor (A.D. 37–68).
26. *Constantin:* the first Roman emperor who converted to Christianity
(A.D. 274–337).
27. *l'arc de triomphe du Carrousel:* the smaller of the two arches of
triumph in Paris. Erected in 1806 by Napoleon to commemorate certain of
his victories, it is situated in the Tuileries Gardens.
28. *le congrès de Vienne:* the international conference in Vienna
(1814–15) which established the boundary lines and political system of
post-Napoleonic Europe.
29. *prego:* Italian term for «s'il vous plaît.»

EXERCICES

Questions spécifiques:

1. Quelles sont quelques-unes des phrases que l'on entend dans la rue?
2. Quelle est la première vision que Butor rapporte de la cathédrale?
3. Quelles sont quelques-unes des occupations des touristes assis aux tables des cafés?
4. Comment Butor s'y prend-il pour nous faire sentir que les premières impressions qu'il a de San Marco sont mélangées d'éléments humains?
5. Quels sont les différents bruits que les touristes entendent sur la place?
6. Pourquoi les monuments anciens sont-ils souvent dénaturés par les touristes?
7. Comment se fait-il que San Marco, au contraire, n'ait pas l'air d'être profané par cette foule qui l'entoure?
8. Que voit-on au-dessus du portail principal de la cathédrale?
9. Quelle est l'odyssée de ce fameux quadrige?
10. Pourquoi la place elle-même a-t-elle l'air de faire partie de la basilique?

Sujets généraux:

1. Comment Butor s'y prend-il pour nous donner une idée globale de cette «houle de foule» et de ses occupations diverses?
2. Analysez la présentation typographique du passage.
3. Expliquez ce que l'auteur veut dire quand il écrit: «Car l'eau de la foule est aussi indispensable à la façade de Saint-Marc qu l'eau des canaux à celles des palais.»
4. Relevez les éléments de description qui dans le passage contribuent à nous donner une impression que cette place Saint-Marc est une autre Babel.

Exercice de verbes:

Employez dans une phrase chacun des verbes suivants:

        s'engloutir   émerger
        disparaître   s'écrouler
        s'approcher   se détendre
        glisser   s'éventer
        s'interrompre   se précipiter

Composition:

Décrivez un monument que vous avez visité et qui vous a fortement impressionné. Analysez vos réactions d'alors et celles des touristes qui vous entouraient.

Portrait de l'artiste en jeune singe

«En Egypte, le dieu de l'écriture, Thot, était souvent représenté par un singe.» Telle est la phrase que Butor plaça en préface de la partie intitulée «Voyage» de son livre *Portrait de l'artiste en jeune singe*. Le romancier éclairait ainsi la signification du curieux mot «singe» dans le titre de son ouvrage. Titre, inspiré d'ailleurs de celui de James Joyce: *Portrait of the Artist as a Young Man* et titre par lequel Butor entendait nous dire également qu'il allait dépeindre non seulement un jeune artiste mais *l'artiste* en tant qu'épitomé de tous les jeunes créateurs en train de faire leurs années d'apprentissage.

Le jeune homme «singe» les mouvements de pensée de ses prédécesseurs, de ses professeurs, de ses camarades d'école plus âgés. Butor évoque ces années d'occupation Nazi pendant lesquelles, adolescent encore, il suivait la classe de philosophie au lycée Louis-le-Grand à Paris. Il rappelle comment, élève très curieux d'esprit, il se vit amené à subir l'influence de son professeur de philosophie qui se trouvait être en même temps son grand-oncle. Le jeune homme fut invité à des colloques entre professeurs et étudiants. Butor décrit ces réunions qui avaient lieu dans un vieux château de banlieue où les plus jeunes s'enrichissaient au contact des plus expérimentés. L'auteur, se trouvant être le benjamin du groupe, admet qu'il était loin de comprendre tout ce qu'il entendait mais qu'il était comme fasciné par des polémiques auxquelles il accordait toute son attention.

Pendant un de ces colloques philosophiques, il fit la connaissance d'un érudit, le docteur H., qui lui proposa le moyen de se rendre en Allemagne dans un vieux château historique pour y passer des vacances. On lui offrait de servir de précepteur à un comte allemand d'un certain âge qui cherchait à rafraîchir ses connaissances de la langue française. Le jeune Butor, attiré par la riche bibliothèque dont son futur hôte était le conservateur et brûlant du désir de voyager, accepta avec enthousiasme.

Après avoir décrit son voyage dans le train allemand, il raconte son arrivée dans la gare d'un petit village allemand où, tel le Revel de *L'Emploi du temps*, il se sent tout à fait désorienté. Il ne connaît d'allemand que ce qu'il a appris en classe, ce qui est bien peu. Qui plus est, le comte n'est pas là; un domestique survient alors qui lui apprend que son hôte avait été empêché de venir à sa rencontre par une entorse assez pénible.

Le passage reproduit ici se termine par une évocation des premières impressions de l'auteur à son arrivée dans le château médiéval, au moment où il fait la connaissance du comte et de sa famille. La première nuit, couché dans sa nouvelle chambre, le jeune «singe» rêve beaucoup. En fait, il rêve beaucoup pendant tout son séjour, et cela même le jour. Le reste du roman est composé d'une juxtaposition de rêves et de faits réels qui, par l'alchimie du souvenir, se confondent pour former la trame même de la vie de l'auteur. Dans ce livre où des lignes mélodiques diverses s'entremêlent on discernera celle de la relation de voyage, nette, descriptive, toujours évocatrice. La deuxième mélodie, se confondant parfois avec la première, est caractérisée par des descriptions minutieuses de bibliothèques, de tableaux, de collections minéralogiques, de livres d'alchimie, descriptions obsédantes au point qu'elles assument très tôt une valeur de signe. Et enfin, s'ajoutant à ces mélodies et parfois se surimposant à elles, un troisième thème, fantastique, réinventant une histoire de vampire.

Souvenirs de jeunesse

Sous l'occupation,[1] comme je suivais au lycée Louis-le-Grand[2] la classe de Monsieur C., auteur d'un manuel de

1. *l'occupation:* the German occupation of France during World War II.
2. *lycée Louis-le-Grand:* one of the most distinguished secondary schools in Paris.

philosophie alors très courant, un de mes grands-oncles, vieillard à la longue barbe blanche roussie de tabac, à qui nous allions régulièrement, en famille, souhaiter la bonne année dans les premiers jours de janvier

(du petit salon où l'on nous faisait entrer, nous apercevions le bureau par une porte entr'ouverte, tapissé de livres, avec une énorme table qui l'occupait presque tout entier, couverte de papiers, tout brouillé de fumée froide), 5

ancien professeur à l'École Polytechnique[3] puis au Collège de France,[4] bergsonien,[5] l'une des vedettes de la querelle «moderniste»[6] et ami intime du père Teilhard de Chardin,[7] 10

avait fait, place de la Sorbonne, une série de conférences sur le problème de Dieu, lequel, certes, n'avait pas fini de me tourmenter; excellente occasion de me renseigner. 15

Un certain nombre de jeunes thomistes[8] venaient y faire du chahut[9]

(oui, on dirait que ces discussions ont eu lieu il y a des siècles);

3. *l'École Polytechnique:* the leading institution of higher learning in France for the study of military and engineering sciences.

4. *Collège de France:* a prestigious institution of higher education in France at which the most distinguished scholars offer lectures in the fields of letters and sciences. The purpose of the college is education for the sake of education, without regard for degrees, diplomas, exams, etc.

5. *bergsonien:* an adherent of the thought of Henri Bergson, the twentieth-century French philosopher who, in his reaction against excessive materialism and science, based his doctrine on the primary role of intuition as a force which directs men toward perception of reality.

6. *la querelle «moderniste»:* a dispute involving eminent theologians over the question of the relevance of God in contemporary life.

7. *Teilhard de Chardin:* Jesuit theologian and philosopher (1881–1955) who attempted to reconcile science and religion.

8. *de jeunes thomistes:* young followers of the philosophy of Saint Thomas Aquinas.

9. *faire du chahut:* to make a big racket (familiar).

62   *Portrait de l'artiste en jeune singe*

je me mêlais le cœur battant aux controverses qui s'ensui-
vaient, l'oreille tendue, hasardant parfois une remarque, si
bien que je finis par entrer en relation avec l'organisatrice
de ces conférences, qui m'invita à participer à des colloques
5   se déroulant en un château des environs de Paris, fameux par
des souvenirs flaubertiens.[10]

On avait rendez-vous devant la brasserie Balzar, rue des
Écoles. On partait en car. Elle réussissait à trouver des cars,
alors que les rues n'étaient plus parcourues que par des vélos,
10   et que le passage d'un camion, même militaire allemand,
était un événement.[11] Je n'osais me payer un verre pour
attendre. Je traînais sur le trottoir, faisant un petit salut dis-
cret aux gens que je reconnaissais. On s'installait. On dé-
marrait. Cahots. Faubourgs. Des conversations commen-
15   çaient.

Cela a duré plusieurs années, avant et après la Libération. Je ne saurais plus distinguer les différentes sessions, ni
à quel moment j'ai vu tel ou tel.

Il y avait là des étudiants, même des lycéens comme moi
20   au début, des écrivains, des médecins, des ecclésiastiques de
maintes couleurs et sectes, et surtout des professeurs de tous
âges et de toutes spécialités.

Nombre d'entre eux sont aujourd'hui célèbres, d'autres
sont oubliés de tous, même de moi; il y en a dont je con-
25   fonds les noms, les visages, les confessions; les prénoms ou
les titres ont pu passer de l'un à l'autre. Je buvais leurs
paroles.

Il me semblait que j'avais découvert un mot de passe, un

10. *château . . . fameux par des souvenirs flaubertiens:* the Château
de La Fortelle, which figures in the early pages of Flaubert's famous novel
L'Éducation sentimentale.
    11. During the Occupation there was a serious shortage of gasoline,
and one saw very few nonmilitary vehicles in the street.

Sésame, une entrée secrète, me permettant de m'introduire, presque frauduleusement, dans une caverne de trésors intellectuels, de discussions à consigner d'une écriture d'or sur feuillets de pourpre, ou plutôt graver, d'une très grande industrie, avec une pointe de fer, en belles et très nettes lettres latines colorées, sur déliées écorces de tendres arbrisseaux, l'entrée ouverte au palais fermé du roi.

Ah, certes, tout ne me semblait pas de même aloi dans ce qui parvenait à mes oreilles, et je me rendais bien compte de l'ignorance et de l'insensibilité de certains des grands dignitaires dans tel domaine qui me captivait, mais ils n'en étaient pas moins pour moi «leurs magnificences», avec leurs habits râpés, leur sous-alimentation, leurs soucis, leur teint de guerre, grands dignitaires d'une cour sans Khalife, d'une fabuleuse académie de Bagdad ou de Laputa.

Je les suivais dans leurs promenades à quelque distance, respectueux, l'oreille au guet, vigilant. Il n'y en avait que quelques-uns dont j'osais m'approcher, à qui j'osais parfois adresser la parole, novice d'un monastère intermittent. Tout l'air qu'ils ébranlaient de leurs propos doctes ou même de leurs politesses les plus banales, me semblait chargé de clefs et formules que je m'efforçais de recueillir et confronter.

C'était le printemps, la disette, l'âge de plomb; il faisait en général fort froid. Le château était à peine meublé; dans chaque chambre un lit de camp avec une paillasse et des couvertures militaires, une chaise de jardin pliante. Il y avait du chauffage dans la maison d'un garde, un peu plus de confort pour les vieux couples. On se retrouvait pour un déjeuner pas plus frugal que celui dont j'avais l'habitude depuis des années; et les pelouses tout autour s'étaient transformées en prés superbes, hauts comme moi, avec quelques allées taillées à la faux, comme par des explorateurs dans une farouche savane.

C'était le règne du beau discours et de la question savante, de l'approche lente et de la méditation, c'était toute la splendeur du savoir, tous les abîmes de l'enquête, enfin dégagés de tous les haillons de scolarité. Là les maîtres étaient
5 accessibles; c'était un séminaire d'audace plein de courants d'air et de douce austérité, Thélème [12] de pauvreté, au milieu des somptueux arbres, avec les chuchotements de la guerre, le règne de Saturne changé en siècle d'or.[13]

Et tous ceux qui étaient là, même les plus jeunes, du fait
10 même qu'ils étaient là, du fait qu'ils avaient été choisis pour entrer dans ce car qui avait l'air d'un car si ordinaire (encore qu'en[14] ce temps un simple car non militaire allemand, puis non militaire français ou allié, dans les rues de Paris, était déjà chose extraordinaire), ce car dont aucun de mes cama-
15 rades de Louis-le-Grand, puis de la Sorbonne, s'il était passé à ce moment, n'aurait pu imaginer ce qu'il contenait, de quoi il était l'antichambre, tous, du fait qu'ils venaient dans ce froid, sur ces lits, tous, malgré la barbarie,[15] la grossièreté ou la prétention dont ils pouvaient témoigner à certains égards,
20 devaient être, dans un domaine au moins, des «maîtres».

Il n'y avait que moi, là-dedans, qui n'étais rien, ne savais rien, ne pouvais rien enseigner à qui que ce fût, qui bénéficiais d'une insigne grâce que, certes, je ne voulais pas laisser passer, moi, et peut-être quelques-uns de ceux de mon âge,
25 mais, en ce qui les concernait, je n'en étais nullement sûr; ils me semblaient si éloquents; ils étaient maîtres au moins dans une souplesse, dans une rapidité de réponse. En leurs yeux, au travers de leur jeunesse, je lisais des années, des années,

---

12. *Thélème:* the name of the celebrated utopian coeducational monastery described in Rabelais's *Gargantua et Pantagruel*.

13. *le règne de Saturne changé en siècle d'or:* the reign of lead transformed into a golden age.

14. *encore qu':* even though.

15. *barbarie:* here, primitive conditions.

toute une vie d'études, de solitude et de complicité avec
d'autres jeunes brillants vieillards, d'autres jeunes ermites [16]
en pleine ville, en plein lycée, en pleine École Normale
Supérieure,[17] en pleine Sorbonne aussi, mais à d'autres cours,
d'autres jeunes virtuoses, des prodiges, des lauréats de je ne   5
savais quels concours,[18] l'émerveillement, l'espoir, presque la
jalousie de leurs professeurs.

Ils parlaient, ils riaient, et je me mêlais à eux, c'était
normal, c'était à leur groupe que pour les autres je devais
appartenir, et ils m'acceptaient, ils me toléraient; certes je   10
n'étais pas l'un d'entre eux, mais je ne les gênais pas; et souvent je ne comprenais pas la raison de leurs rires, souvent
leurs paroles étaient tout à fait obscures pour moi, et tel de
leurs mots me plongeait dans des heures de réflexions et per-
plexité.
                                                                     15
J'étais frère lai, j'étais un singe.

C'est là que j'avais rencontré le docteur H. maître ès
fantômes.[19] . . . . . .

Un jour, quelques années plus tard (je devais venir lui
rapporter Algernon Blackwood,[20] H. P. Lovecraft,[21] ou le   20
Président d'Espagnet),[22] le docteur H. me demande si je veux

16. *ermites:* here, solitary scholars.
17. *École Normale Supérieure:* the most prestigious institution of
higher learning in France which specializes in the preparation of French
University professors.
18. *des lauréats de je ne savais quels concours:* prizewinners of heavens
knows what [kinds of] competitive examinations.
19. *maître ès fantômes:* a word play patterned after French University
degrees such as *licencié ès lettres, docteur ès lettres.*
20. *Algernon Blackwood:* a British writer (1869–1951) who specialized
in ghost stories.
21. *H. P. Lovecraft:* American author who wrote many ghost stories
and some science fiction.
22. *Président d'Espagnet:* seventeenth-century French alchemist.

aller passer quelques semaines de vacances en Allemagne, dans un des plus beaux châteaux qu'il eût jamais vus.

Il me montre des cartes postales, vieux clichés sépia comme venant de l'autre siècle, des tours, une découpure...

5   Il venait de passer quelque temps en Franconie,[23] chez son vieil ami Alexandre von B., poète, conteur, qui avait fort bien connu à Vienne autrefois Hofmannsthal[24] et tout son groupe, mais aussi grand praticien de médecine spagirique, préparant dans son officine, selon les antiques recettes, celles
10 de Paracelse[25] en particulier, électuaires, dictames, baumes et teintures qu'il expédiait à de nombreux correspondants sous l'étiquette du laboratoire Sol-Luna.

Il y avait rencontré un comte W. qui avait dû quitter ses terres des Sudètes[26] lors de la transformation de la Bohême
15 en démocratie populaire et avait trouvé refuge aux environs, dans le bourg en question, comportant musée et surtout une immense bibliothèque, propriété de son oncle par alliance le prince von O. W. à qui il servait de conservateur.[27]

Le comte W. cherchait un jeune Français pour rafraîchir
20 sa connaissance de notre langue. Il me suffisait de lui écrire.

J'étais déjà allé en Allemagne, d'abord avec un groupe de préparation militaire (c'était obligatoire alors) dont mon premier beau-frère était l'un des officiers, en Sarre, dans un collège vidé par des vacances, au sommet d'une colline. Nous

23. *Franconie:* Franconia, the northwest region of Bavaria (southern Germany).

24. *Hofmannsthal:* Austrian poet (1874–1929), famous for the composition of the libretto of Richard Strauss's *Der Rosenkavalier*.

25. *Paracelse:* Philippus Aureolus Paracelsus, Swiss alchemist and doctor (1493–1541), father of hermetic medicine.

26. *Sudètes:* the Sudetenland, the northern section of modern Czechoslovakia which stretches along Germany.

27. *conservateur:* curator in a library or museum.

étions en uniforme, et j'avais la plus grande difficulté, avant chaque inspection, à donner à mon hideux calot une inclinaison tolérable.

Puis, j'avais participé à des rencontres internationales d'étudiants, dans une fastueuse auberge construite quelques 5 années plus tôt pour les S. A. en Forêt-Noire, au bord du Titisee.[28] Il s'agissait alors de fraterniser, de dénazifier; groupes d'études et chants.

J'avais ainsi fait connaissance des grands poêles en faïence, des banquettes de bois sous les doubles fenêtres, du 10 vin blanc que l'on teint en bleu les jours de fête, des cuves à vomissements, leurs poignées scellées dans le mur carrelé des latrines,

et des grandes randonnées à skis dans les bois, avec la traversée le soir du lac gelé pour rentrer à l'abri....... 15

Quelques jours avant mon départ, la veille peut-être, je reçois un coup de téléphone du docteur H. me demandant de passer chez lui de toute urgence.

Je me précipite rue du Val-de-Grâce. Il m'ouvre.

«Voilà: j'ai une mission à vous confier. Voudriez-vous 20 remettre ceci le plus tôt possible à Alexander von B. Il est averti de votre voyage. Il vous attend.»......

J'avais un autre livre dans ma valise: la traduction française du *Joseph en Égypte* de Thomas Mann.[29]

Au matin j'aperçus la silhouette noire de la cathédrale 25 d'Ulm.

28. *Titisee:* a lake in the Black Forest of Germany.
29. *Thomas Mann:* German novelist (1875–1933), often regarded as the leading novelist of Germany. Mann authored such contemporary classics as *Magic Mountain, Death in Venice,* and *Buddenbrooks.*

Les inscriptions noires et blanches des gares allemandes.

Les trains allaient encore très lentement.

J'ai dû changer à Augsbourg.

J'étais certainement mal réveillé, mal lavé, mal rasé, mal
5   peigné, des escarbilles plein les cheveux et plein les yeux.
Je devais avoir faim. J'approchais.

Je déchiffre le nom de ma destination. Le comte W.
m'avait écrit qu'il m'attendrait. Personne. La lettre était en
allemand. M'étais-je trompé? Je descends. Personne; seule
10   une femme derrière la barrière. Je rassemble mon vocabulaire pour lui demander le chemin du château.

«Vous êtes Monsieur Butor?

—Oui.

—Monsieur le comte m'a priée de l'excuser auprès de
15   vous parce qu'il n'a pu venir vous chercher.

—Il n'est pas là?

—Si, si, il est là?

—Il est malade?

—Non, il n'est pas malade, il a une...»

20   C'était un mot que dans mes savantes lectures, je n'avais
jamais rencontré.

«Il a quoi?

—Il ne peut pas marcher.

—Il s'est cassé une jambe?

25   —Oh, non, ne vous inquiétez pas. Voulez-vous venir
avec moi? Donnez-moi votre valise.

—Je puis très bien la porter, je vous assure.

—Vous n'êtes pas trop fatigué de votre voyage?»

Les mots me manquaient.[30] Je ne voyais plus rien. Je m'efforçais de sourire, en soupirant. Elle s'efforçait de sourire aussi, mais elle avait l'air troublée. Je devais lui faire un peu pitié. Elle m'expliquait quelque chose à quoi je ne comprenais plus rien. En désespoir de cause [31] on se mit en route. Il y avait des arbres à droite et à gauche, il y avait le chemin. Elle montait, je la suivais, je n'arrivais pas à la suivre, elle ralentissait, elle s'arrêtait, elle se retournait vers moi, je prenais une grande respiration, j'accélérais un peu, j'arrivais jusqu'à elle, je m'arrêtais, je posais ma valise, je lui souriais je soufflais, nous repartions, je changeais de main pour la valise, il y avait des maisons, des arbres, de la poussière, je transpirais, j'avais soif, j'avais faim, quelle heure pouvait-il être, déjà la fin de l'après-midi, le chemin montait...

Alors je lui ai laissé prendre ma valise; cela valait mieux ainsi, nous allions beaucoup plus vite ainsi, j'avais même du mal à la suivre ainsi, elle ralentissait, elle souriait, elle me parlait, elle voyait pourtant que je ne la comprenais pas; mais c'est que tout à l'heure je la comprenais et je lui parlais...

Des arbres, le chemin, des lointains, le chemin, une porte, les rayons du soleil, la poussière, le chemin, des remparts, encore une porte, une énorme cour pleine d'herbe, des tours, une petite porte dans une tour, des marches, un palier, une autre porte, un vestibule, une grande salle avec trois fenêtres donnant sur la cour; elle pose la valise et disparaît derrière moi.

Au centre, assis sur un fauteuil, la jambe allongée sur un tabouret, le pied bandé, une canne à portée de la main, un homme vêtu de gris, le dos très droit, les cheveux courts,

---

30. *les mots me manquaient:* words failed me.
31. *En désespoir de cause:* at wits' end.

faisait une réussite. Derrière lui, sur le mur, au-dessus d'un divan, un grand tableau représentant grandeur nature[32] un jeune homme debout, de face, qui lui ressemblait, en uniforme d'officier de l'armée allemande, avec la croix de fer.

5 «Monsieur Butor? Enlevez votre manteau. J'ai l'impression que vous avez eu chaud pendant votre voyage. Tout s'est bien passé? Je souffre d'une petite entorse, mais demain cela ira mieux. Voilà le divan où vous coucherez. C'est le portrait de mon frère, mort pendant la campagne de 10 Russie...»

Sa femme, ses enfants: un garçon et une fille, le dîner; il n'y avait pas de quoi boire sur la table; on apportait un verre de bière pour le comte et pour moi après le repas. La nuit.

15 Au-dessus de mon lit le plafond baroque rustique développait ses arabesques rose tendre et ses angelots de stuc.

J'ai beaucoup rêvé pendant ce séjour; mais si les événements de la veille peuvent toujours un jour ou l'autre, même ceux que l'on croyait les plus secrets, être vérifiés par quelque 20 chercheur, grâce à mille ruses, mille détours et patiences

—ainsi que d'erreurs, d'oublis, que de gauchissements, un limier futur pourrait relever dans ces quelques pages![33]—,

par contre il n'y a pour l'instant nul moyen de s'assurer qu'un homme a effectivement rêvé telle nuit ce qu'il nous dit 25 y avoir rêvé, s'il ne l'a noté le lendemain même au réveil,

nul moyen de déceler dans le récit d'un rêve le mensonge ou l'erreur;

32. *grandeur nature*: life-size.
33. *ainsi que d'erreurs d'oublis, que de gauchissements, un limier futur pourrait relever dans ces quelques pages!*: so, how many mistakes, how many forgotten things, how many distortions a future bloodhound could gather in these few pages!

aussi, plutôt que de prétendre me souvenir suffisamment des rêves que j'ai pu faire au château de H. pour pouvoir les noter après tant d'années, je préfère délibérément les construire,

rêvant méthodiquement à ces rêves d'antan dissous.   5

EXERCICES

Questions spécifiques:

1. A quelle époque Butor a-t-il fait ses études au lycée?
2. Qui est Monsieur C.?
3. A quel moment la famille de Butor allait-elle rendre visite régulièrement à Monsieur C.?
4. Où Monsieur C. avait-il fait une série de conférences sur le problème de Dieu?
5. Quelles étaient les circonstances dans lesquelles le jeune Butor a réussi à se faire admettre, tout adolescent qu'il était, à des colloques philosophiques?
6. Quelles sortes de voitures voyait-on dans les rues de Paris pendant l'Occupation?
7. Quels types de gens participaient aux colloques de philosophie?
8. Dans quelle sorte de château se réunissaient les jeunes philosophes avec leurs maîtres?
9. Quelle était l'attitude du jeune Butor pendant les promenades que les «grands dignitaires» faisaient dans le jardin du château?
10. Que dit Butor du car dans lequel il se rendait aux colloques?
11. Quelle est la différence entre le jeune Butor qui dit «n'être rien» et les autres participants?
12. Où Butor a-t-il l'occasion de se rendre pour quelques semaines de vacances?

13. Quelles sont les diverses occupations auquel Alexandre von B. se livre?
14. Que fait le comte W. après avoir quitté ses terres des Sudètes?
15. Pourquoi le comte W. cherche-t-il un jeune Français?
16. En quelles circonstances Butor était-il déjà allé en Allemagne?
17. Quelle est la mission que le jeune homme doit remplir pour le docteur H.?
18. Quel livre Butor a-t-il pris avec lui pour lire dans le train?
19. Quel est l'état de la tenue de l'auteur lorsqu'il approche de sa destination?
20. Qui attend Butor à la gare lorsqu'il descend du train?
21. Pourquoi le comte n'est-il pas venu chercher Butor lui-même?
22. Pourquoi Butor et cette femme ne peuvent-ils pas converser pendant très longtemps?
23. Pourquoi permet-il à la femme qui est venue à sa rencontre de porter sa valise?
24. Dans quelle sorte de château le jeune homme arrive-t-il pour passer ses vacances d'été?
25. Que représente le tableau qui frappe Butor dès son entrée dans le salon du comte W.?
26. Qui assiste au dîner ce soir-là?
27. Quelle sorte de plafond se trouve au-dessus du lit du jeune voyageur?
28. Que faut-il faire pour s'assurer de l'authenticité d'un rêve avant que l'on ne l'oublie?
29. Quel moyen Butor recommande-t-il pour distinguer entre mensonge et vérité dans un rêve?
30. Plutôt que de prétendre se souvenir de ses rêves, au risque de faire des erreurs, qu'est-ce que Butor préfère entreprendre?

Sujets généraux:

1. Expliquez la signification de la formule: «J'étais frère lai, j'étais singe», dont Butor se sert pour définir la place qu'il tenait dans ces colloques philosophiques.

2. Quelles sont les deux aventures principales décrites ici par Butor? Faites un court résumé de chacune.
3. Avez-vous jamais fait l'expérience dans votre jeunesse estudiantine d'une aventure semblable à celle que l'auteur raconte ici? Si oui, faites un parallèle entre vos impressions et celles de Butor.

THÈME D'IMITATION

During the occupation of France by the Germans, Michel Butor, then a student at the lycée Louis-le-Grand, studied philosophy with one of his great-uncles, a former professor at the École Polytechnique and at the Collège de France who gave a series of lectures on the problem of religion in the modern world. Butor participated in the various exciting controversies and discussions which he found extremely interesting. Later on, he was even invited to attend various philosophical colloquia which took place regularly at an old château in the vicinity of Paris. Butor remembered going there in a bus filled with a few lycée students like himself, doctors, writers, ministers of the church, and teachers of all sorts. Although he did not understand everything that was discussed, he absorbed every word he heard. Only a few of these dignitaries did he dare approach, for he felt inferior intellectually. Compared to these masters, he felt as if he were really nothing and knew nothing. Nevertheless he listened to them laugh, talk, discuss, and they tolerated him all the time. He was like a monkey who imitated all that he heard and saw.

It was there that he met Dr. H., who asked him if he wanted to go and spend a few weeks of vacation in an old German castle where he could help a count, who lived there, to refresh his knowledge of French. Naturally Butor accepted. Several days before his departure for Germany, Butor went to see Dr. H., who asked him to take a book to his old friend, the German count. There were no direct trains to Butor's destination, and he had to change trains at Augsburg. When he arrived, he was unshaven, his hair was badly combed, he felt dirty because of the night spent in the train. On getting out of the train he found no one at the station to meet him, no one except a woman who had come to tell him that the count could not come himself because he was unable to walk. He had sprained his ankle. She accompanied him to the count's château and even carried his suitcase for him, for they had to climb up a difficult road. They could not really talk to each other: Butor was lacking in German words. He remembered that there were trees to the left and the right of the road. At last they arrived at the château, with its enormous ramparts, its courtyard filled with grass, its huge rooms and towers. Happy to meet the count, Butor was still happier that it was dinnertime. He was very hungry and thirsty. His first night in the German castle was filled with dreams of all sorts. But it seemed so hard to remember them all, to relate them all. Nevertheless, Butor decided to write a book in which he would try to reconstruct some of these dreams methodically.

Répertoire

La courte étude qui va suivre, intitulée «Intervention à Royaumont,» se place en conclusion de *Répertoire,* volume dans lequel
Butor a rassemblé ses premières réflexions critiques.

Le texte fut présenté à l'abbaye de Royaumont [1] sous la forme
d'une brève causerie dans laquelle Butor se confessait en quelque
sorte pour son auditoire et essayait de définir sa position propre
en face de la création romanesque. Ces quelques réflexions termi-
nent admirablement bien ce recueil, *Répertoire.* Il est naturel en
effet que Butor, après avoir disserté longuement sur des auteurs
divers, achève son livre sur une note plus personnelle en nous
présentant une ébauche de sa théorie du roman, nous laissant
entrevoir la place de la composition romanesque dans son
existence.

Butor s'explique sur le choix qu'il a fait du genre romanesque,
«par nécessité», comme moyen d'expression après s'être rendu
compte qu'il s'était jusque-là partagé entre deux occupations anti-
thétiques et par conséquent déroutantes pour lui: ses études de
philosophie d'un côté, exprimant chez lui un désir et un besoin
de rationalisme, et ses essais de composition poétique de l'autre,
dévoilant un état chaotique et confus aussi bien qu'irrationnel de
son être le plus profond.

Dès lors le roman était apparu à Butor comme un instrument
propre à concilier ces deux tendances contradictoires et pourtant
aussi vitales l'une que l'autre. Le romancier pourrait grâce à la
description méthodique exercer son pouvoir de réflexion, réin-

1. L'abbaye de Royaumont a été transformée en centre intellectuel
indépendant où professeurs, hommes de lettres, romanciers, philosophes, se
rendent, afin de bénéficier d'une atmosphère aussi bien propre à la méditation individuelle qu'aux rencontres fortuites ou organisées.

venter la réalité du monde et lui restituer ainsi la poésie qui lui est propre.

Le roman permettrait à l'auteur de représenter systématiquement le réel à partir de certains schémas mathématiques qui satisferaient son besoin de discipline et de clarté philosophique, tout en permettant l'éclosion de la poésie à l'intérieur de cadres précis. Dans *Répertoire* Butor écrit: «La réconciliation de la philosophie et de la poésie qui s'accomplit à l'intérieur du roman, à son niveau d'incandescence fait entrer en jeu les mathématiques.»

Le roman pour Butor est également interrogation. Si le romancier, une fois son travail terminé, ne relègue pas son œuvre dans un fond de tiroir quelconque, c'est en grande partie parce qu'il a besoin de lecteurs pour que son œuvre soit réellement achevée. Le roman devient le point de liaison entre le romancier et son lecteur. La vie du créateur acquerra une certaine unité, un certain sens. Le roman, cette «question», a besoin de la «réponse» du lecteur pour s'animer vraiment. Telle est la signification symbolique de ces interrogations que Butor met dans la bouche du Grand Veneur, cavalier mythique de la forêt de Fontainbleau qui dans *La Modification* s'écrie: «Ou êtes-vous, que faites-vous, que voulez-vous?» C'est à nous, lecteurs, de formuler une réponse à ces questions fondamentales, réponses sans lesquelles le roman butorien s'estime incomplet.

Intervention à Royaumont

Je suis venu au roman par nécessité. Je n'ai pu l'éviter. Voici à peu près comment cela s'est passé: j'ai fait des études de philosophie et, pendant ce temps-là, j'ai écrit des quantités de poèmes. Or, il se trouvait qu'entre ces deux parties
5 de mon activité, il y avait un hiatus très grand. Ma poésie

était à bien des égards[1] une poésie de désarroi, très irra-
tionaliste, tandis que je désirais évidemment apporter de la
clarté dans les sujets obscurs en philosophie.

Lorsque je suis parti de France, je me suis trouvé avec
cette difficulté en moi: comment relier tout cela? Le roman
m'est apparu comme la solution de ce problème personnel à
partir du moment où l'étude des grands auteurs du XIXᵉ et du
XXᵉ siècle m'a montré qu'il y avait dans leurs œuvres une
application magistrale de cette phrase de Mallarmé:[2]
«Chaque fois qu'il y a effort sur le style, il y a versification»,
et qu'en elles se produisait une «réflexion» qui pouvait être
poussée très loin, ne serait-ce que par une certaine façon de
décrire les choses,[3] cette description méthodique s'inscrivant
exactement dans le prolongement de l'évolution philosophique contemporaine qui trouve son expression la plus
claire, et la position la plus aiguë de ses problèmes, dans la
phénoménologie.[4]

Le poète se sert d'une prosodie, qu'elle soit[5] de type
classique, ce qui, en France, consiste actuellement à compter
jusqu'à douze, ou de type surréaliste, ce qui consiste à donner
des suites d'images contrastées; le poète invente, en faisant
jouer les mots à l'intérieur de certaines formes, en s'efforçant
de les organiser selon des exigences sonores ou visuelles; il
arrive ainsi à retrouver leur sens, à les dénuder, à leur rendre
leur santé, leurs puissances vives.

En élargissant le sens du mot style, ce qui s'impose à
partir de l'expérience du roman moderne, en le généralisant,

1. *à bien des égards:* in many respects.
2. *Mallarmé:* major French symbolist poet (1842–98).
3. *ne serait-ce que par une certaine façon de décrire les choses:* even
if it were only by a certain way of describing things.
4. *la phénoménologie:* a philosophical discipline that consists principally of the study and description—without value judgment—of phe-
nomena present in our minds and in various aspects of human behavior
(such as in the study of literature and anthropology).
5. *qu'elle soit:* whether it be.

en le prenant à tous les niveaux, il est facile de montrer qu'en se servant de structures suffisamment fortes, comparables à celles du vers, comparables à des structures géométriques ou musicales, en faisant jouer systématiquement les éléments les uns par rapport aux autres [6] jusqu'à ce qu'ils aboutissent à cette révélation que le poète attend de sa prosodie, on peut intégrer en totalité, à l'intérieur d'une description partant de la banalité la plus plate, les pouvoirs de la poésie.

Je n'écris pas des romans pour les vendre, mais pour obtenir une unité dans ma vie; l'écriture est pour moi une colonne vertébrale; et, pour reprendre une phrase d'Henry James: «Le romancier est quelqu'un pour qui rien n'est perdu.»

Il n'y a pas pour le moment de forme littéraire dont le pouvoir soit aussi grand que celui du roman. On peut y relier d'une façon extrêmement précise, par sentiment ou par raison, les incidents en apparence les plus insignifiants de la vie quotidienne et les pensées, les intuitions, les rêves en apparence les plus éloignés du langage quotidien.

Il est ainsi un prodigieux moyen de se tenir debout, de continuer à vivre intelligemment à l'intérieur d'un monde quasi furieux qui vous assaille de toutes parts.

S'il est vrai qu'il existe une liaison intime entre fond et forme, comme on disait dans nos écoles, je crois qu'il est bon d'insister sur ce fait que dans la réflexion sur la forme, le romancier trouve un moyen d'attaque privilégié, un moyen de forcer le réel à se révéler, de conduire sa propre activité.

Certes, quelques artistes naïfs parviennent à nous bouleverser, mais la plupart d'entre nous ne peuvent se contenter de la naïveté; prétendre [7] y retourner ne serait que mensonge; il n'est plus temps. Nous sommes obligés de réfléchir

---

6. *en faisant jouer systématiquement les éléments les uns par rapport aux autres:* by systematically bringing into play the various elements and their interrelationship.

7. *prétendre:* to claim.

à ce que nous faisons, donc de faire consciemment, sous
peine d'abêtissement et d'avilissement consentis, de notre
roman un instrument de nouveauté et par conséquent de
libération.

Car la sottise et l'ignominie sont tapies dans tous les re-   5
coins à nous guetter, toutes prêtes à nous effacer. N'êtes-
vous pas chaque jour saisis par leur odeur montant des pages
de certains journaux ou des conversations de salons?

Or, si le romancier publie son livre, cet exercice fondamental de son existence, c'est qu'il a absolument besoin du   10
lecteur pour le mener à bien,[8] comme complice de sa constitution, comme aliment dans sa croissance et son maintien,
comme personne, intelligence et regard.

Certes, il est lui-même son propre lecteur, mais un lecteur insuffisant, qui gémit de son insuffisance et qui désire   15
infiniment le complément d'un autrui et même d'un autrui
inconnu.

Pour que ma voix puisse durer, il lui est absolument nécessaire d'être soutenue par son propre écho. Et les amis, les
connaissances n'y suffisent point, il faut que de l'espace   20
blanc, de la foule mère d'inquiétude et de perdition, vienne,
ne serait-ce que très ténue,[9] cette consolation, cet encourage-
ment.

Cette réponse va se traduire de toutes sortes de façons:
par des articles de critiques, par des conversations, des let-   25
tres, donc par l'intermédiaire d'individus nommés qui se
détachent comme porte-parole, comme avant-coureurs, mais
beaucoup plus subtilement et fondamentalement par la
transformation très lente qui va s'esquisser à l'intérieur du
milieu même dans lequel vit le romancier; de ce milieu dont   30
les tensions, dont les malheurs ont donné naissance au roman, les gens peu à peu changeant leur façon de le voir de se

8. *pour le mener à bien:* to bring it to a successful conclusion.
9. *ne serait-ce que très ténue:* even though it be very slight.

voir, de voir tout autour d'eux, les choses par conséquent prenant un nouvel équilibre provisoire sur la base duquel une nouvelle aventure commencera.

Il y a une certaine matière qui veut se dire; et en un sens
ce n'est pas le romancier qui fait le roman, c'est le roman qui se fait tout seul, et le romancier n'est que l'instrument de sa mise au monde,[10] son accoucheur; on sait quelle science, quelle conscience, quelle patience cela implique.

Depuis cette appréhension[11] confuse, presque doulou-
reuse, d'une certaine région en souffrance de nuit,[12] qui exige obscurément qu'on la produise jusqu'à la fin du livre, il y a attention, attentes, il y a surveillance et conduite, il y a conseil et recours; tout au long de cet engendrement, il y a réflexion et donc formalisation au sens musical et mathé-
matique, au sens où l'on emploie ce mot dans les sciences physiques, réflexion qui ne peut se faire proprement, qui ne peut s'établir en clarté, que par un certain nombre de symbolisations, de schématisations, qu'à l'intérieur d'une certaine abstraction. La réconciliation de la philosophie et
de la poésie qui s'accomplit à l'intérieur du roman, à son niveau d'incandescence fait entrer en jeu les mathéma-
tiques.[13]

Je ne puis commencer à rédiger un roman qu'après en avoir étudié pendant des mois l'agencement, qu'à partir du
moment où je me trouve en possession de schémas dont l'effi-
cacité expressive par rapport à cette région qui m'appelait à l'origine me paraît enfin suffisante. Muni de cet instrument, de cette boussole, ou, si l'on préfère, de cette carte provisoire, je commence mon exploration, je commence ma révi-

10. *sa mise au monde:* its birth.

11. *cette appréhension:* In the philosophical sense, this term means the action by which we grasp something.

12. *une certaine région en souffrance de nuit:* a certain part of the mind left in darkness.

13. *fait entrer en jeu les mathématiques:* involves mathematics.

sion, car ces schémas eux-mêmes dont je me sers, et sans lesquels je n'aurais pas osé me mettre en route, ce qu'ils me permettent de découvrir m'oblige à les faire évoluer, et ceci peut se produire dès la première page, et peut continuer jusqu'à la dernière correction sur épreuves, cette ossature évoluant en même temps que l'organisme entier, que tous ces événements qui font les cellules et le corps du roman, chaque changement de détail pouvant avoir des répercussions sur l'ensemble de la structure.

Je ne sais par conséquent ce qui se passe dans un livre, je ne deviens capable de le résumer à peu près, qu'une fois qu'il est terminé.

Cette prise de conscience [14] du travail romanesque va, si j'ose dire, le dévoiler en tant que dévoilant,[15] l'amener à produire ses raisons, développer en lui les éléments qui vont montrer comment il est relié au reste du réel, et en quoi il est éclairant pour ce dernier; le romancier commence à savoir ce qu'il fait, le roman à dire ce qu'il est.

Mais cette réflexion qui se produit à l'intérieur du livre n'est que le commencement d'une réflexion publique qui va éclairer l'écrivain lui-même. Il cherche à se constituer, à donner une unité à sa vie, un sens à son existence. Ce sens, il ne peut évidemment le donner tout seul; ce sens c'est la réponse même que trouve peu à peu parmi les hommes cette question qu'est un roman.

14. *Cette prise de conscience:* this awareness.
15. *le dévoiler en tant que dévoilant:* is going to clarify it [the work of the novel] in its function as a clarifying agent.

EXERCICES

Questions spécifiques:

1. Quelle matière Butor a-t-il étudiée plus particulièrement quand il faisait ses études?
2. Qu'est-ce qu'il composait alors pour se délasser de ses travaux?
3. Selon Butor, quels besoins contradictoires le roman a-t-il pu satisfaire chez lui?
4. Par quel procédé le romancier peut-il atteindre à la création poétique?
5. Si Butor ne compose pas de romans pour les vendre, pourquoi donc écrit-il?
6. Quelles sortes de structures le romancier moderne utilise-t-il?
7. Butor favorise-t-il la composition artistique naïve et spontanée ou au contraire celle qui est consciente et délibérée?
8. Selon Butor quelle est la place du lecteur dans la création?
9. Que veut dire l'auteur quand il prétend que le roman «se fait tout seul» et que le romancier «n'est que l'instrument de sa mise au monde»?
10. Quelle est la raison pour laquelle Butor ne peut pas résumer l'intrigue de ses romans avant de les avoir terminés?

Sujets généraux:

1. Commentez et discutez la citation de Mallarmé, reproduite par Butor dans cet article: «Chaque fois qu'il y a effort sur le style, il y a versification.»
2. En quel sens peut-on dire avec Butor que le romancier a vraiment besoin d'un public pour parfaire son œuvre?
3. Comment la poésie et la philosophie qui sont par nature d'essences contradictoires peuvent-elles bien se réconcilier à l'intérieur du roman?
4. Butor a écrit dans un autre essai de *Répertoire*, «Le roman comme recherche,» que la notion même de roman au vingtième siècle se transformait et évoluait «très lentement mais inévitablement...vers une espèce nouvelle de poésie à

la fois épique et didactique.» Quelle est votre opinion sur
le sujet?

Exercices de vocabulaire:

1. Expliquez en français les expressions suivantes, puis employez chacune d'elle dans une phrase:

à bien des égards	en tant que
consister à	arriver à
mener à bien	appréhension
tout au long de	à partir de

2. Trouvez des synonymes français pour les expressions suivantes:

parvenir à
prétendre
réfléchir à
chercher à
pour le moment

Exercice de verbes:

Transcrivez les deux premiers paragraphes de l'essai reproduit ici en mettant les verbes au passé simple toutes les fois
qu'il est possible.

Répertoire II

La reproduction de l'étude suivante, «Recherches sur la technique du roman,» a pour but de présenter à l'étudiant les problèmes nombreux et complexes que pose la création romanesque à un auteur de ce temps.

Le romancier détruit purement et simplement la distinction entre réel et imaginaire, insistant sur le fait que même dans un récit dont on peut garantir l'authenticité il y a place pour les erreurs les plus flagrantes. A partir de ce récit, quelque imparfait qu'il puisse être, le travail de pourchasseur de vérité—et par conséquent celui du romancier—sera axé sur la vérification du réel qu'il confrontera sans trêve avec les renseignements qu'il pourra glaner de tous côtés. Toutefois, du fait que le créateur, dès qu'il a atteint à une certaine vérité, vise à présenter cette dernière en la transcendant à l'aide d'un choix et en faisant usage d'un certain langage, le roman se transforme immédiatement en poésie.

Il a toujours été impossible, même pour le romancier le plus classique, de se tenir à un ordre chronologique strict. En effet, dans une représentation linéaire du récit il faudrait nécessairement supprimer toute allusion historique, toute référence au passé des personnages, toute mention de projet futur. En fait, le romancier bâtit son ouvrage, comme le musicien sa symphonie, sur des schémas à l'aide desquels il se retrouve dans toutes ces «voix». Mais là où l'auteur moderne diffère de son prédécesseur c'est dans la méthode de représentation de cette discontinuité temporelle. Le romancier traditionnel place des points de repère pour le lecteur, à l'aide de formules raccommodant les trous dans la tapisserie du Temps. Les auteurs modernes, au contraire, ont perçu les possibilités offertes par la juxtaposition de deux scènes de nature différente, séparées simplement l'une de l'autre par un espace blanc sur la page.[1] Cette méthode n'est d'ailleurs pas sans rappeler celie des cinéastes de notre temps.

Le rapprochement de deux scènes d'ordre différent suppose un choix auquel correspond nécessairement un manque. Dans ce nouvel âge de la litote, le vide, le silence, l'espace blanc prend une signification positive. L'élément omis apparaît alors dans toute l'énormité de son absence, comme dessiné en creux, comme l'empreinte d'un fossile aboli par le Temps.

Les objets eux-mêmes prennent une importance considérable dans la création romanesque. Ils agissent également comme les moules par lesquels on peut reconstituer la forme des personnages. Ils constituent l'espace dans lequel les acteurs sont baignés. «Les objets sont les os du temps»,[2] dit Butor. Ces descriptions interminables des choses qui ont tant étonné le lecteur moderne («ce nouveau réalisme optique qui a tant surpris») ne sont pourtant pas nouveaux. Balzac avec ses longs passages descriptifs fait usage des objets d'une façon assez semblable à celle que Butor emploie. Mais tandis que Balzac explique soigneusement le pourquoi de ses descriptions, Butor se dispense de tout commentaire psychologique, sociologique ou autre.

> Écrire un roman . . . ce sera non seulement composer un ensemble d'actions humaines, mais aussi composer un ensemble d'objets tous liés nécessairement à des personnages par proximité ou par éloignement—car nous pourrons y mettre des objets «inhumains», des rochers par exemple, qui n'ont pas été faits par l'homme, qui nient l'homme d'une certaine façon, mais qui ne seront là que par rapport à lui.[3]

Dès lors, le romancier est amené à réexaminer sa technique de composition. Pour transcrire la réalité, il a eu de tous temps

1. Cf. notre introduction sur *La Boue à Séoul* et *La Pluie à Angkor,* p. 106.

2. Michel Butor, *Répertoire II,* (Paris: Éditions de Minuit, 1964), p. 56.

3. *Ibid,* p. 58.

à sa disposition un certain nombre de pronoms personnels. Il a pu utiliser le *je* très intime, le *il* plus objectif, il a pu faire usage des deux, il a pu comme certains auteurs du dix-neuvième siècle prendre à partie le lecteur et utiliser le *vous*. Butor ira plus loin: il reprendra ce *vous* et le transformera à son usage. Dans le chapitre de *La Modification* reproduit dans cet ouvrage, l'élève pourra constater l'utilisation ambiguë que l'auteur fait de ce *vous*, qui s'adresse au lecteur, qui veut l'impliquer dans le récit, mais qui continue malgré tout à contenir une troisième personne dont on raconte les aventures.

> C'est parce qu'il y a quelqu'un à qui l'on raconte sa propre histoire, quelque chose de lui qu'il ne connaît pas, ou du moins pas encore au niveau du langage, qu'il peut y avoir un récit à la seconde personne, qui sera par conséquent toujours un récit «didactique».[4]

Et «cette situation d'enseignement» est particulièrement profitable pour l'auteur qui force ainsi son lecteur dans ses derniers retranchements. Celui-ci est forcé de faire des rapprochements avec son passé, rapprochements qu'il avait mis de côté consciemment ou non ou bien qu'il n'était jamais arrivé à formuler.

A l'extrême limite, la création romanesque, telle un de ces mobiles de la sculpture contemporaine, doit pouvoir se présenter sous différents angles, différents «trajets de lecture» dont le public aura le choix. (Cf. plus haut le passage de *Description de San Marco*).

Dans cette perspective nouvelle, le travail du critique, lecteur un peu plus attentif que les autres, acquerra une importance assez considérable: il sera à la fois guide, interprète, traducteur. Le livre, *non fini*, offrant différents «trajets de lecture», aura besoin de se nourrir d'une suite continuelle d'explications et de commentaires.

> Ce qui permet ainsi d'atteindre l'œuvre inépuisable, conserve un inépuisable pouvoir de mise en rapport, est œuvre soi-même, s'adjoint à l'œuvre originelle comme complé-

4. Butor, *Répertoire II*, p. 66.

ment nécessaire, devenant constitutive d'un nouvel état de
choses en même temps qu'elle, les textes les plus admi-
rables demeurant à tout jamais inachevés et méconnus.[5]

5. Butor, *Répertoire II*, p. 134.

Recherches sur la technique du roman

1.—Introduction

Le monde, dans sa majeure partie, ne nous apparaît que par
l'intermédiaire de ce qu'on nous en dit: conversations, le-
çons, journaux, livres, etc. Très vite, ce que nous voyons de
nos yeux, ce que nous entendons de nos oreilles, ne prend son
sens qu'à l'intérieur de ce concert.   5

  L'unité élémentaire de ce récit dans lequel nous baignons [1] constamment, nous pouvons l'appeler une «information», ou, comme on dit, une «nouvelle».[2] «Savez-vous la
nouvelle?» nous crie-t-on, «jusqu'à présent on disait ceci ou
cela, désormais il faudra dire autrement.» Celui qui voit un   10
fait inattendu devient porteur d'une «nouvelle» qu'il doit
diffuser alentour. Le récit public, le savoir du monde doit se
déformer.

  Dans certains cas, la «nouvelle» va trouver sa place sans
la moindre difficulté à l'intérieur de ce qu'on disait aupara-   15
vant; elle n'implique qu'une correction de détail, laissant le
reste intact. Mais lorsque le nombre et l'importance de ces
«nouvelles» vont augmenter, nous ne saurons plus où les
mettre, qu'en faire.[3]

  1. *nous baignons:* we plunge.
  2. *une nouvelle:* a piece of information.
  3. *nous ne saurons plus où les mettre, qu'en faire:* we shall no longer
know where to put them, or what to do with them.

Dès lors, ce que nous devrions savoir, il nous est impossible d'en tenir compte.[4] Nos yeux auront beau voir, nos oreilles entendre, cela ne nous servira plus de rien.[5] Nous serons misérables au milieu de notre richesse, qui s'enfuira
5   dès que nous la voudrons saisir, nouveaux Tantales[6] jusqu'au jour où nous aurons trouvé le moyen de mettre de l'ordre à l'intérieur de toutes ces informations, de les organiser de façon stable.

Le récit nous donne le monde, mais il nous donne fatale-
10 ment un monde faux. Si nous voulons expliquer à Pierre qui est Paul, nous lui racontons son histoire: nous choisissons parmi nos souvenirs, notre savoir, un certain nombre de matériaux que nous arrangeons pour constituer une «figure», et nous savons bien que nous échouons la plupart du temps,
15 dans une mesure plus ou moins large, que le portrait que nous avons fait est à certains égards inexact, qu'il y a toutes sortes d'aspects de cette personnalité que nous connaissions bien et qui ne «collent» pas avec l'image que nous avons donnée.

20 Pas seulement lorsque nous parlons à autrui; le décalage[7] est aussi grave quand nous nous parlons à nous-mêmes. Tout d'un coup, nous apprenons une surprenante «nouvelle» concernant Paul: «Mais comment cela est-il possible?» Et puis le souvenir revient; non, il ne nous avait pas caché cette
25 intention ou cette partie de sa vie, il nous en avait parlé même longuement, mais nous avions oublié tout cela, nous

4. *Dès lors . . . d'en tenir compte:* From then on, it is impossible for us to take into consideration what we ought to know.

5. *Nos yeux auront beau voir . . . cela ne nous servira plus de rien:* No matter how much our eyes can see, or our ears can hear, it will no longer be of any avail to us.

6. *Tantale:* Tantalus, in Greek mythology a king condemned by his father Zeus to suffer eternal thirst and hunger in Hades. He was placed near water and fruit which vanished at his approach.

7. *le décalage:* the lag between reality and imagination.

l'avions exclu de notre «résumé», nous ignorions comment le raccrocher au reste.[8]

Que de fantômes [9] ainsi entre nous et le monde, entre nous et les autres, entre nous-mêmes et nous!

Or ces fantômes, il nous est possible de les nommer, de les poursuivre. Nous savons bien que dans ce qu'on nous raconte, il y a des choses qui ne sont pas vraies, non seulement des erreurs mais des fictions, nous savons bien que le même mot français «histoire» désigne à la fois le mensonge et la vérité, la conscience même que nous avons du monde en mouvement, l'«Histoire universelle», notre vigilance, et les contes que nous faisons pour endormir les enfants et cet enfant qui en nous tarde toujours à s'endormir; nous savons bien que le Père Goriot [10] n'a pas existé de la même façon que Napoléon Bonaparte.

Nous sommes à chaque instant obligés de faire intervenir dans les récits une distinction entre le réel et l'imaginaire, frontière très poreuse, très instable, frontière qui recule constamment, car ce qu'hier nous prenions pour le réel, la «science» de nos grands-parents, ce qui semblait l'évidence même,[11] nous le reconnaissons aujourd'hui comme imagination.

Impossible de céder à l'illusion que cette frontière serait définitivement arrêtée. Chassez l'imaginaire, il revient au galop.[12] Le seul moyen de dire la vérité, d'aller à la recherche de la vérité, c'est de confronter inlassablement, méthodiquement, ce que nous racontons d'habitude avec ce

8. *nous ignorions comment le raccrocher au reste:* we did not know how to tie it in with the rest.

9. *Que de fantômes:* synonym for «combien de fantômes.»

10. *le Père Goriot:* the principal character in the novel by Balzac of the same name.

11. *l'évidence même:* evidence itself.

12. *Chassez l'imaginaire, il revient au galop:* Chase away the imaginary and it comes galloping back. Destouches said: «Chassez le naturel, il revient au galop.»

que nous voyons, entendons, avec les informations que nous recevons, c'est donc de «travailler» sur le récit.

Le roman, fiction mimant la vérité, est le lieu par excellence d'un tel travail; mais dès que celui-ci se fera suffisamment sentir, donc dès que le roman réussira à s'imposer comme langage nouveau, imposer un langage nouveau, une grammaire nouvelle, une nouvelle façon de lier entre elles des informations choisies comme exemples, pour enfin nous montrer comment sauver celles qui nous concernent, il proclamera sa différence d'avec ce qu'on dit tous les jours, et apparaîtra comme poésie.

Il y a certes un roman naïf et une consommation naïve du roman, comme délassement ou divertissement, ce qui permet de passer une heure ou deux, de «tuer le temps», et toutes les grandes œuvres, les plus savantes, les plus ambitieuses, les plus austères, sont nécessairement en communication avec le contenu de cette énorme rêverie, de cette mythologie diffuse, de cet innombrable commerce, mais elles jouent aussi un rôle tout autre et absolument décisif: elles transforment la façon dont nous voyons et racontons le monde, et par conséquent transforment le monde. Un tel «engagement»[13] ne vaut-il pas tous les efforts?

2.—La suite chronologique

Le conteur originel, l'«aède»,[14] qui tient, comme on dit, l'auditoire «suspendu» à ses lèvres, pour mieux l'identifier avec ses héros doit lui présenter les événements dans l'ordre où ils ont dû les vivre. Le temps du récit est alors comme une contraction du temps de l'aventure.

Je dis bien [15] les événements, car il apparaît tout de suite

---

13. *un tel «engagement»:* such a commitment.
14. *l'aède:* the bard.
15. *Je dis bien:* I stress.

que l'on ne peut descendre au-dessous d'une certaine échelle,
qu'il ne s'agit point de l'ordre des mots, ni même des phrases,
tout au plus de celui des épisodes. Pourtant cet arrangement
linéaire même grossier se heurte à toutes sortes de difficultés:
le fil se brise, se retourne. Vous pouvez relire l'*Odyssée*.   5

Dès qu'il y a deux personnages importants, et qu'ils se
séparent, nous serons obligés de quitter quelque temps les
aventures de l'un pour savoir ce que l'autre a fait pendant la
même période.

Tout personnage nouveau, à y regarder d'un peu plus   10
près,[16] amène des explications sur son passé, un retour en
arrière, et bientôt ce qui sera essentiel pour comprendre le
récit, ce ne sera pas seulement le passé de tel ou tel, mais
ce que les autres en connaissent ou ignorent à tel moment; il
faudra donc réserver des surprises, des aveux, des révé-   15
lations.

Balzac, multipliant les personnages, et revenant sur eux
sans se lasser, s'est naturellement trouvé devant ce problème
qu'il aborde longuement dans la préface d'*Une Fille d'Ève:*

Vous rencontrez au milieu d'un salon un homme que   20
vous avez perdu de vue depuis dix ans: il est premier
ministre ou capitaliste, vous l'avez connu sans redingote,
sans esprit public ou privé, vous l'admirez dans sa gloire,
vous vous étonnez de sa fortune ou de ses talents; puis
vous allez dans un coin du salon, et là, quelque délicieux   25
conteur de société vous fait, en une demi-heure, l'histoire
pittoresque des dix ou vingt ans que vous ignoriez. Souvent
cette histoire scandaleuse ou honorable, belle ou laide,
vous sera-t-elle dite le lendemain, ou un mois après,
quelquefois par parties. Il n'y a rien qui soit d'une seul   30
bloc dans ce monde, tout y est mosaïque. Vous ne pouvez

16. *à y regarder d'un peu plus près:* if one examines it a bit more
closely.

raconter chronologiquement que l'histoire du temps passé, système inapplicable à un présent qui marche.

On s'en tire [17] généralement en organisant son récit autour d'un fil chronologique fort grossier, toute précision dans les
5   dates mettant cette «forme» en danger, auquel s'agglomèrent au petit bonheur [18] des références, des souvenirs, des explications. Dès qu'on fixe son attention sur ce problème, on s'aperçoit qu'en fait aucun roman classique n'est capable de suivre les événements d'une façon simple (d'ailleurs la
10   poétique humaniste ne recommandait-elle point de commencer la narration ou le spectacle *in medias res* [19]); il faut donc étudier les structures de succession.

3.—Contrepoint temporel

Un effort rigoureux pour suivre l'ordre chronologique strict, en s'interdisant tout retour en arrière, amène à des
15   constatations surprenantes: toute référence à l'histoire universelle devient impossible, toute référence au passé des personnages rencontrés, à la mémoire, et par conséquent toute intériorité. Les personnages sont alors nécessairement transformés en choses. On ne peut les voir que de l'extérieur, et
20   il est même presque impossible de les faire parler. Au contraire, dès que l'on fera intervenir une structure chronologique plus complexe, la mémoire apparaîtra comme un de ses cas particuliers.

Je m'empresse de dire que les structures chronologiques
25   de fait sont d'une complexité tellement vertigineuse que les schémas les plus ingénieux utilisés soit dans l'élaboration de l'ouvrage, soit dans son exploration critique, ne pourront jamais être que de grossières approximations. Ils n'en pro-

17. *On s'en tire:* One solves the problem.
18. *au petit bonheur:* haphazardly.
19. *in medias res:* in the midst of things.

jettent pas moins une vive lumière; il faut bien commencer
par les premiers degrés.

Quand les épisodes racontés par un «retour en arrière»
s'ordonnent eux aussi selon l'ordre chronologique, il se produit la superposition de deux suites temporelles, comme de
deux voix en musique. On trouve déjà un exemple rigoureux
de ce «dialogue entre deux temps» dans le «Récit de Souf-
frances» qui fait partie des *Étapes sur le Chemin de la Vie*
de Sœren Kierkegaard.[20] Le narrateur y tient un «journal»
de l'année précédente, qu'il entremêle de notations sur le
présent:

> Les lignes que j'écris le matin se rapportent au passé et
> appartiennent à l'année dernière; celles que j'écris mainte-
> nant, ces «pensées nocturnes», constituent mon journal de
> l'année courante.

C'est entre ces deux «voix» que joue une «épaisseur» ou
une «profondeur» psychologique.

Ici le parallélisme a été cherché avec grand soin. Nous
pouvons, bien sûr, augmenter le nombre des voix. Imaginons
que le narrateur tienne non seulement un double, mais un
quadruple journal; [21] inévitablement se multiplieront à l'intérieur de l'œuvre des renversements de chronologie. On va
remonter le cours du temps, plonger de plus en plus profondément dans le passé, comme un archéologue ou un géo-
logue qui, dans leurs fouilles, rencontrent d'abord les terrains
récents, puis, de proche en proche, gagnent les anciens.

L'apparition de nouvelles données va parfois modifier à
tel point ce que l'on savait d'une histoire qu'il faudra la dire
deux fois, ou plus.

Parallélismes, renversements, reprises, l'étude de l'art

20. *Sœren Kierkegaard:* Danish philosopher (1813–55) who influenced
the twentieth-century existentialist movement.
21. *le narrateur tienne . . . un journal:* the narrator keeps a diary.

musical montre qu'il s'agit là de données élémentaires de notre conscience du temps.

Chaque événement apparaît comme pouvant être le point d'origine et de convergence de plusieurs suites narra-
5 tives, comme un foyer dont la puissance est plus ou moins grande par rapport à ce qui l'entoure. La narration n'est plus une ligne, mais une surface dans laquelle nous isolons un certain nombre de lignes, de points, ou de groupements remarquables.
10 A ces retours en arrière il faut bien sûr ajouter tous ces regards en avant que sont les projets, ce monde des possi-bilités.

4.—Discontinuité temporelle

Chaque fois que nous quittons une nappe de récit[22] pour une autre, le «fil» est rompu. Toute narration se propose à
15 nous comme un rythme de pleins et de vides,[23] car non seule-ment il est impossible de raconter tous les événements dans une succession linéaire, mais à l'intérieur d'une séquence de donner toute la suite des faits. Nous ne vivons le temps comme continuité qu'à certains moments. De temps en
20 temps le récit procèdera par flux, mais entre ces îlots de flux, nous ferons presque sans nous en douter d'énormes sauts.

L'habitude nous empêche de faire attention à ces for-mules qui jalonnent les œuvres les plus filées,[24] les plus cou-lantes: «le lendemain...», «quelque temps plus tard...»,
25 «quand je le revis...».

Comme la vie contemporaine a prodigieusement ac-

22. *une nappe de récit:* one level of the story.
23. *un rythme de pleins et de vides:* a rhythm of utterances and silences.
24. *qui jalonnent les œuvres les plus filées:* which mark out the most elaborate works.

centué la brutalité de ce discontinu, bien des auteurs se sont
mis à procéder par blocs juxtaposés,[25] voulant nous faire bien
sentir les ruptures; il y a certes là un progrès, mais de même
que le plus souvent les retours en arrière venaient au petit
bonheur, au fil de la plume, au gré de l'inspiration du mo-   5
ment,[26] sans contrôle, de même ces coupures sont souvent
opérées sans grande justification.

Il s'agit donc de préciser une technique de l'interruption
et du saut, ceci en étudiant naturellement les rythmes ob-
jectifs sur lesquels repose en fait notre évaluation du temps,   10
les résonances qui se produisent à l'intérieur de cet élément.
Ici encore, l'attention portée à ce que l'on prend d'ordinaire
comme allant de soi [27] révèle une inépuisable richesse.

Lorsque j'utilise au début d'une phrase une expression
comme «le lendemain...», je renvoie en fait à un rythme   15
essentiel de notre existence, à cette reprise qui se fait chaque
jour après l'interruption du sommeil, à toute cette forme déjà
tellement prévue qu'est, pour chacun de nous, une journée.
Le temps est alors saisi dans son jalonnement essentiel. Non
seulement chaque événement va être l'origine d'une enquête   20
sur ce qui l'a précédé et ce qui l'a suivi, va, peut le suivre,
de proche en proche, mais il va éveiller des échos, allumer
des lueurs dans toutes ces régions du temps qui par avance
lui répondent: la veille ou le lendemain, la semaine d'avant
ou celle d'après, tout ce qui peut donner un sens précis à   25
cette expression: la fois précédente ou la fois suivante.

Chaque date propose ainsi tout un spectre de dates harmoniques.

25. *bien des auteurs . . . blocs juxtaposés:* many authors have set out,
proceeding by means of juxtaposed blocks [of literary content].

26. *au fil de la plume, au gré de l'inspiration du moment:* during the
process of writing and as a whim of momentary inspiration.

27. *comme allant de soi:* as self-evident.

5.—Vitesses

Le blanc, la juxtaposition pure et simple de deux paragraphes décrivant deux événements éloignés dans le temps
apparaît alors comme la forme de récit la plus rapide possible, une vitesse qui efface tout. A l'intérieur de ce blanc,
l'auteur peut introduire un jalonnement qui forcera le lecteur
à mettre un certain temps pour passer de l'un à l'autre, et
surtout à assigner une certaine échelle entre ce temps de
lecture et celui de l'aventure.

Dans la situation la plus simple, celle du conteur, il y a
déjà superposition de deux temps, celui du récit étant la
contraction de l'autre. Mais dès que l'on peut parler d'un
«travail» littéraire, et donc dès que nous abordons la région
du roman, il faut superposer au moins trois temps: celui de
l'aventure, celui de l'écriture, celui de la lecture. Ce temps
de l'écriture va souvent se réfléchir dans l'aventure par
l'intermédiaire d'un narrateur. On suppose d'habitude entre
ces différents écoulements une progression de vitesses: ainsi
l'auteur nous donne un résumé que nous lisons en deux
minutes (qu'il a pu mettre deux heures à écrire), d'un récit
que tel personnage aurait fait en deux jours, d'événements
s'étalant sur deux ans. Nous avons ainsi des organisations
de vitesses différentes du récit. On sent toute l'importance
que pourront avoir à cet égard les passages où il se produit
une coïncidence entre la durée de la lecture et la durée de
ce qu'on lit, par exemple dans tous les dialogues, à partir
desquels on pourra mettre en évidence précisément des ra-
lentissements ou des accélérations.

Dans le roman par lettres du dix-huitième siècle, on
trouve déjà une introduction de la lecture comme élément
fondamental à l'intérieur de ce qui est narré. Nous, lecteur
réel, allons mettre le même temps que Julie pour lire la

lettre de Saint-Preux [28] (à peu près); nous donnons en fait à ce lecteur fictif notre diapason,[29] tout le reste s'accordant ensuite à partir de là.

L'idéal du récit quotidien, c'est, bien sûr, de ne retenir que l'important, le «significatif», c'est-à-dire ce qui peut remplacer le reste, ce par quoi le reste est donné,[30] et par conséquent de passer ce reste sous silence,[31] et même, procédant par degrés, de «s'attarder», sur l'essentiel et de «glisser» sur le secondaire. Mais un tel parallélisme entre la longueur occupée par un épisode et sa valeur significative est dans l'immense majorité des cas une pure illusion; un mot peut avoir des conséquences plus grandes qu'un long discours. Nous assisterons par conséquent à des inversions de structures. On pourra souligner l'importance de tel moment par son absence, par l'étude de ses alentours, faire sentir ainsi qu'il y a une lacune dans le tissu de ce qu'on raconte, ou quelque chose que l'on cache.

Ceci n'est possible que par une utilisation méthodique des jalonnements temporels, car ce n'est que si nous avons pris soin de dire où était Pierre lundi, mardi, jeudi, vendredi, et samedi, qu'apparaît soudain mercredi comme un vide (on trouve déjà cela dans le roman policier) ou par une description soigneuse des bords, des coupures, de ce qui nous empêche à tel moment d'en savoir plus long.

28. *Julie . . . Saint Preux:* Julie and Saint Preux are the two protagonists in Jean-Jacques Rousseau's eighteenth-century novel *La Nouvelle Héloïse.*

29. *nous donnons en fait à ce lecteur fictif notre diapason:* in fact we bring this fictitious reader into tune with ourselves.

30. *ce par quoi le reste est donné:* this [piece of information] by means of which the rest is understood.

31. *et par conséquent de passer ce reste sous silence:* and consequently to skip over what remains.

6.—Les propriétés de l'espace

La coulée, la marche du temps, nous ne la vivons que par prélèvements.[32] Chaque fragment nous apparaît certes comme orienté, comme ayant une durée, et comme devant s'orienter par rapport aux autres fragments, mais il nous apparaît toujours comme un fragment, se présentant sur fond d'oubli ou d'inattention.

En fait pour pouvoir étudier le temps dans sa continuité, donc pouvoir mettre en évidence des lacunes, il est nécessaire de l'appliquer sur un espace, de le considérer comme un parcours, un trajet.

N'est-il pas singulier que les métaphores employées par Bergson [33] pour nous rendre sensibles à certains aspects «continus» de notre expérience du temps soient justement à son insu des métaphores éminemment spatiales: le courant de conscience, le fleuve, le cône de la mémoire, ou encore ce morceau de sucre qu'il nous invite à observer tandis qu'il se dissout peu à peu dans un verre d'eau, expérience qui ne peut nous donner un tel sentiment de lenteur—«il faut attendre que le sucre fonde»—que parce que nous sommes capables de mesurer, constatant ce qu'il demeure du volume primitif, la vitesse du processus.

C'est en déplaçant le regard sur un espace clairement imaginable que nous pourrons véritablement suivre la marche du temps, étudier ses anomalies. Mais l'espace dans lequel nous vïvons n'est pas plus celui de la géométrie classique que notre temps celui de la mécanique qui lui correspond, c'est un espace dans lequel les directions ne sont nullement équivalentes, un espace encombré d'objets qui défor-

32. *La coulée, la marche du temps, nous ne la vivons que par prélèvements:* We experience the duration and the movement of time only through samplings of experiences.

33. *Henri Bergson:* twentieth-century French philosopher (1859–1941), known principally for his theories of time and intuition.

ment tous nos parcours, et où le mouvement en ligne droite
est en général impossible d'un point à un autre, avec des
régions ouvertes ou fermées, l'intérieur des objets par
exemple, et surtout comportant toute une organisation de
liaisons entre ses différents points: moyens de transport,   5
références, qui font que les proximités vécues ne sont nullement réductibles à celles de la cartographie.

Un essai d'application de figures géométriques simples à
l'espace vécu va nous permettre de dévoiler toutes sortes de
propriétés de celui-ci généralement passées sous silence. On   10
va ainsi pouvoir explorer méthodiquement ses densités, ses
orientations, les modes de puissance des différents lieux les
uns par rapport aux autres. Le déplacement physique d'un
individu, le voyage, apparaîtra comme cas particulier d'un
«champ local», comme on dit un «champ magnétique». Les   15
lieux ayant toujours une historicité, soit par rapport à l'histoire universelle, soit par rapport à la biographie de l'individu, tout déplacement dans l'espace impliquera une réorganisation de la structure temporelle, changements dans les
souvenirs ou dans les projets, dans ce qui vient au premier   20
plan, plus ou moins profond et plus ou moins grave.

Remarquons en passant que, s'il est facile de trouver des
points de relative coïncidence en ce qui concerne les durées,
la forme habituelle de nos livres ne le permet pas si directement pour les espaces. C'est pourquoi on trouve un tel effort   25
dans certaines œuvres contemporaines pour imposer des «visions» sans équivoque à l'imagination du lecteur, ces descriptions minutieuses d'objets, avec leurs dimensions précises et
la situation des détails: ce qui est en haut, ce qui est à droite,
ce nouveau réalisme optique qui a tant surpris.   30

Cette attention donnée aux objets amène nécessairement
à la considération des propriétés du livre même en tant
qu'objet, à l'utilisation systématique de son espace, l'emploi
d'illustrations, etc.

7.—Personnes

Dans la lecture de l'épisode le plus simple d'un roman, il y a toujours trois personnes impliquées: l'auteur, le lecteur, le héros. Celui-ci prend normalement la forme grammaticale de la troisième personne du verbe: il est celui dont on nous parle, dont on nous raconte l'histoire.

Mais il est facile de voir quels avantages il peut y avoir pour l'auteur à introduire dans son ouvrage un représentant de lui-même, un narrateur, celui qui nous raconte sa propre histoire, à nous dire «je».

Le «il» nous laisse à l'extérieur, le «je» nous fait entrer à l'intérieur, mais cela risque d'être un intérieur fermé comme le cabinet noir dans lequel un photographe développe ses clichés. Ce personnage ne peut nous dire ce qu'il sait de lui-même.

C'est pourquoi s'introduit parfois dans l'ouvrage un représentant du lecteur, de cette deuxième personne à qui le discours de l'auteur s'adresse: celui à qui l'on raconte sa propre histoire.

Cette première et surtout cette seconde personnes romanesques ne sont plus des pronoms simples comme ceux dont nous usons dans nos conversations réelles. Le «je» cache un «il»; le «vous» ou le «tu» cache les deux autres personnes et établit entre elles une circulation.

On va chercher à rendre aussi apparente que possible une telle circulation, en faisant varier les rapports entre personnes du verbe et personnages: ainsi, dans les romans par lettres, chaque personnage important devenait à son tour «je», «vous», «il».

A ces permutations on va combiner des superpositions: le narrateur qui, tel le romancier, «donne la parole» et la première personne à quelqu'un d'autre.

On réalise ainsi toute une architecture pronominale qui va permettre d'introduire dans un ensemble romanesque une clarté nouvelle et donc d'explorer, de dénoncer de nouvelles obscurités.

Une étude plus poussée des fonctions pronominales montrerait leur liaison étroite avec les structures temporelles. Pour prendre un seul exemple, un procédé comme le «mono- 5
logue intérieur»[34] est la liaison d'un récit à la première per-
sonne avec l'abolition imaginaire de toute distance entre le
temps de l'aventure et celui du récit, le personnage nous
racontant son histoire dans l'instant même où elle se produit.
Une notion comme celle de «sous-conversation» permet de 10
briser la prison dans laquelle le monologue intérieur classique reste enfermé, et de justifier de façon bien plus plau-
sible les retours en arrière, les remémorations.

Le jeu des pronoms ne permet pas seulement de distinguer les personnages les uns des autres, il est aussi le seul 15
moyen que nous ayons de distinguer proprement les différents niveaux de conscience ou de latence qui constitue chacun d'eux, de les situer parmi les autres et parmi nous.

8.—La transformation des phrases

Liaisons des temps, des lieux et des personnes, nous
sommes en pleine grammaire. Il faudra appeler à son se- 20
cours toutes les ressources de la langue. La petite phrase que
nous recommandaient nos professeurs d'antan, «légère et
court vêtue»,[35] ne suffira plus. Dès que l'on sortira des sen-
tiers battus, il faudra préciser quelle est la «conjonction»
entre deux propositions[36] qui se suivent. On ne pourra plus 25
la laisser sous-entendue. Dès lors les petites phrases vont se
rassembler en grandes phrases, quand il le faudra, ce qui

34. *le «monologue intérieur»:* the stream of consciousness, a literary
device perfected by Marcel Proust and James Joyce.
35. *«légère et court vêtue»:* an allusion to the heroine in La Fontaine's
fable *La Laitière et le Pot au Lait.*
36. *deux propositions:* two clauses.

permettra d'utiliser à plein, comme certains grands auteurs d'autrefois, le magnifique éventail de formes [37] que nous proposent nos conjugaisons.

Quand ces ensembles verbaux deviendront par trop considérables, ils se diviseront tout naturellement en paragraphes, se charpenteront de répétitions, joueront de tous les contrastes de couleurs que permettent les différents «styles», par citations ou parodies, isoleront leurs parties énumératives par une disposition typographique appropriée.

Ainsi le chercheur perfectionne nos outils.

9.—Structures mobiles

Lorsqu'on accorde tant de soin à l'ordre dans lequel sont présentées les matières, la question se pose inévitablement de savoir si cet ordre est le seul possible, si le problème n'admet pas plusieurs solutions, si l'on ne peut et doit prévoir à l'intérieur de l'édifice romanesque différents trajets de lecture, comme dans une cathédrale ou dans une ville. L'écrivain doit alors contrôler l'œuvre dans toutes ses différentes versions, les assumer comme le sculpteur responsable de tous les angles sous lesquels on pourra photographier sa statue, et du mouvement qui lie toutes ces vues.

La Comédie humaine [38] donne déjà l'exemple d'une œuvre conçue en blocs distincts que chaque lecteur, en fait, aborde dans un ordre différent. En ce cas l'ensemble des événements racontés demeure constant. Quelle que soit la porte par laquelle nous entrons, c'est la même chose qui s'est passée; mais on peut avoir l'idée d'une mobilité supérieure, tout aussi précise et bien définie, le lecteur devenant responsable de ce qui arrive dans le microcosme de l'œuvre, miroir

---

37. *le magnifique éventail de formes:* the magnificent variety of forms.

38. *La Comédie humaine:* The collective title of Balzac's principal novels.

de notre humaine condition, en grande partie à son insu, bien sûr, comme dans la réalité, chacun de ses pas, de ses choix, prenant et donnant sens, l'éclairant sur sa liberté.

Un jour, sans doute, nous en serons là.

EXERCICES

Questions spécifiques:

1. Selon Butor, par quel intermédiaire le monde se présente-t-il à nous?
2. Quelle est l'unité élémentaire du récit dans lequel nous baignons constamment?
3. La «nouvelle» va-t-elle toujours trouver sa place sans difficulté à l'intérieur de ce qu'on disait auparavant?
4. Que faut-il arriver à faire avec toutes ces informations pour qu'elles prennent un sens?
5. Quelle sorte d'impression du monde le récit nous donne-t-il fatalement?
6. Quelle est la méthode que nous employons pour faire un portrait de quelqu'un ou de quelque chose?
7. Quels sont les deux sens en français du mot «histoire»?
8. Y a-t-il une frontière très précise entre le réel et l'imaginaire?
9. Quelle est la méthode proposée par Butor pour arriver à dire la vérité?
10. Que veut dire l'auteur quand il parle de l'arrangement linéaire d'un récit?
11. Un romancier, même classique, peut-il s'en tenir à un arrangement linéaire strict?
12. Selon Balzac, quelle est la seule histoire que l'on puisse raconter chronologiquement?
13. Les structures chronologiques du roman moderne sont-elles complexes?

14. Quand sera-t-il nécessaire de dire une histoire deux fois ou plus à l'intérieur du roman?

15. Dès lors, si l'on ne peut plus comparer la narration à une ligne, à quelle figure pourrait-on la comparer?

16. Quelles sont les formules, exprimant la discontinuité temporelle qui jalonnent les romans classiques?

17. Que font certains auteurs contemporains au contraire pour exprimer le discontinu?

18. Quels sont les trois temps qui se superposent dès que nous abordons la région du roman?

19. Quelles sont les deux façons par lesquelles on peut, à l'intérieur de la création romanesque, souligner l'importance de tel ou tel élément?

20. Pour mieux étudier le temps dans sa continuité, qu'est-ce qu'il est utile de faire?

21. Pouvez-vous citer quelques-unes des métaphores employées par Bergson pour expliquer la notation de temps?

22. Qu'est-ce qui différencie l'espace dans lequel nous vivons de celui de la géométrie classique?

23. Quelles sont les trois personnes impliquées dans un roman?

24. Sous quelles formes grammaticales ces trois personnes apparaissent-elles?

25. Quelle est la principale fonction de la deuxième personne (*tu* ou *vous*) dans la narration?

26. Qu'est-ce que cette architecture pronominale va permettre d'introduire dans le roman?

27. Dès lors, quelle sera la transformation subie par la phrase?

28. De quoi *La Comédie humaine* donne-t-elle l'exemple?

Sujets généraux:

1. Butor insiste sur le fait que le monde nous apparaît avant tout à travers les conversations que nous entendons et les livres et les journaux que nous lisons. Etes-vous d'accord avec lui? Justifiez votre position en prenant des exemples concrets tirés de vos expériences personnelles.

2. Discutez l'emploi du temps, de l'espace, et des personnes

dans la création butorienne en prenant comme exemple un des morceaux choisis de ce volume.

3. Etudiez la technique de l'interruption et du saut dans le passage de *L'Emploi du temps* que vous avez lu.

4. Expliquez ce que Butor veut dire quand il s'exprime ainsi: «Les lieux ayant toujours une historicité, soit par rapport à l'histoire universelle, soit par rapport à la biographie de l'individu, tout déplacement dans l'espace impliquera une réorganisation de la structure temporelle, changements dans les souvenirs ou dans les projets, dans ce qui vient au premier plan, plus ou moins profond et plus ou moins grave.»

5. Comment Butor explique-t-il le nouveau réalisme optique de certaines œuvres contemporaines?

La Boue à Séoul et
La Pluie à Angkor

Maintenant que l'élève vient d'étudier l'article de *Répertoire II* dans lequel Butor élucide ses idées sur la technique du roman, peut-être conviendrait-il de présenter les deux textes écrits spécialement par l'auteur pour ce recueil.

Ces récits qui portent pour titre «La Boue à Séoul» et «La Pluie à Angkor» constituent une démonstration légèrement schématisée à dessein—et peut-être par là plus probante—de la méthode de création butorienne.

Dans ces deux textes, composés en août 1967 à Cauterets dans les Basses-Pyrénées, Butor relate les souvenirs d'un voyage qu'il fit en Extrême-Orient en novembre de l'année 1966. L'auteur, convié par l'association franco-japonaise de langue et de littérature française, s'était rendu au Japon pour y faire des conférences. Sur ce voyage au Japon se greffèrent huit jours en Corée et huit jours au Cambodge. Ce sont les impressions produites sur lui par ces deux pays que l'auteur a essayé de communiquer au lecteur. Butor utilise, pour ainsi dire jusqu'à la limite extrême, des blocs de réalité qu'il présente suivant un plan bien défini mais sans aucune liaison les uns avec les autres. Il consigne ses impressions d'excursioniste,· évoque ses découvertes de Séoul et d'Angkor, imbriquées dans celle de Tokyo.

A tout cela se juxtaposent encore les visions que l'auteur a de sa fenêtre à Cauterets quand dans l'été 1967 il se trouve devant sa machine à écrire en train de composer ses récits. De plus, Butor, fidèle à sa recherche de la vérité, reprend son bagage d'idées sur la Corée, en examine soigneusement le contenu et confronte tout cela avec son expérience du pays. Il fera de même pour Angkor qu'il visitera accompagné de tous ses souvenirs de

lecture. De cette confrontation du rêvé, du lu et du vécu, une
certaine vérité jaillira enfin.

A tout prendre, extrême habileté technique d'un Butor qui,
avec élégance, ne craint pas de laisser voir les «ficelles» de sa
création, comme pour proposer à l'élève un exemple à suivre.
Nous y gagnons une bonne leçon de contrepoint temporel sur
laquelle vient se greffer une présentation des espaces qui déplace
le lecteur avec l'auteur de Séoul à Cauterets et d'Angkor à Paris.

La Boue à Séoul

Devant mes yeux le mur aveugle d'une maison vieille, la
pente du toit, une cheminée à chapeau de tôle, une antenne
de télévision, les restes vermoulus d'un ancien mât, une autre
cheminée de céramique rouge.

Je pense à l'autre côté de la terre.   5

J'arrivais de Tokyo où il faisait encore chaud; c'était le
mois de novembre, l'an dernier. De l'avion des Northwestern
Airlines, bourré de soldats américains, j'avais admirablement
pu détailler le sommet du mont Fuji, les vagues de la mer du
Japon, le relief austère du sud de la Corée, me disant, au vu   10
des fermes bien fermées autour de leur cour centrale: «c'est
un pays où il doit faire froid».

Ce matin-là, l'assistant français de l'université de Séoul
est venu me chercher à l'ambassade toute neuve où je logeais
(élégants toits de béton détachés sur leurs piliers, bords rele-   15
vés), dans sa petite voiture française, pour m'emmener voir
des tombeaux royaux de la dernière dynastie dans les environs de la ville. Le ciel était limpide, il faisait frais.

Nous avons enfilé une interminable avenue où étaient rassemblés les fabriquants de meubles: lits, armoires à l'européenne, quelques fauteuils. Quelques flaques.

Ici et là d'élégants vieillards à la longue barbe mince, tout habillés de blanc, grands pantalons bouffants serrés aux chevilles, immaculés; seul le chapeau était noir, mais transparent, tissé de crins de cheval.

Quelques grands gaillards torses nus, pieds nus, avaient aussi des pantalons parfaitement blancs, remontés au dessus du genou. Ils piochaient, râclaient, déchargeaient. Mais la plupart des hommes étaient vêtus de surplus de l'armée ou de complets veston fort rapiécés.

Les flaques devenaient de plus en plus vastes. C'était la fin du goudron. Nous croisions des convois militaires qui éclaboussaient les passants, cahotaient.

Parmi les femmes, quelques-unes avaient des robes longues jusqu'aux pieds, en soie superbe, de couleur unie, très vive et raffinée, cassant à grands plis, le port très haut,[1] avec une démarche de reine faisant de petits pas pressés.

Puis c'était la campagne, très vallonnée, qui, après le Japon, me rappelait certains coins de la France, du massif central par exemple. Un ruisseau barrait la route. Mon compagnon commença à s'inquiéter:

«Je me demande si nous pourrons aller jusqu'au bout.»

La pente de la montagne au flanc de laquelle nous roulions était maintenant boursouflée d'une multitude de petits tertres réguliers, bien gazonnés.

«C'est un des cimetières de Séoul, un cimetière municipal. Il n'y a rien de plus humiliant pour un Coréen que d'être enterré ici; dès qu'on a un peu d'argent, on achète un morceau de montagne; toutes les grandes familles ont leur propre butte; encore faut-il[2] qu'elle soit convenablement

1. *le port très haut:* walking with an erect posture.
2. *encore faut-il:* and still they must be.

située. La question de l'orientation de la tombe, qui se pose pour chaque défunt, est toujours très difficile à régler...»

Le soir, je devais prononcer une seconde conférence, à l'université féminine cette fois; un immense amphithéâtre, plusieurs centaines de jeunes filles aux visages sérieux et larges, en robes courtes. Elles m'ont fait don d'une théière fabriquée dans leur atelier de céramique, fort belle imitation d'un ancien céladon,[3] que l'on devait me faire parvenir jusqu'en France, car je n'avais pas la place de la prendre dans ma minuscule valise, mais elle s'est égarée en route.

Et le lendemain, j'ai repris un avion des Japan Airlines pour Tokyo, après avoir fait quelques emplettes dans une galerie marchande reliant les deux principaux hôtels de Séoul: une topaze, une écharpe de soie, des petites boîtes de vannerie rentrant les unes dans les autres.[4]

L'une est près de moi sur la commode, remplie de colliers de graines rapportés depuis du Brésil. Devant le mur crépi, à droite, un orme à larges feuilles dont le vent agite les branches, un peu plus au centre un jeune sapin. J'entends les cris de mes filles dans la chambre à côté. Je suis à Cauterets, station thermale des Pyrénées françaises. Temps gris et doux.

J'étais arrivé à l'aérodrome de Séoul trois jours plus tôt. L'ambassadeur de France était venu m'attendre; contrôle des passeports, des visas, tampons,[5] toutes ces insupportables et dérisoires formalités. La visite de la douane fut rapide. J'avais laissé à Tokyo la grosse valise achetée à New York que j'avais emportée de Paris, et n'avais pris avec moi que

3. *un ancien céladon:* a type of Oriental porcelain (generally in a pale green color).

4. *des petites boîtes de vannerie rentrant les unes dans les autres:* small wicker boxes which fit into each other.

5. *tampon:* rubber stamp used by customs officials to stamp passports.

celle, toute petite, blanche à impressions bleues, qui m'avait
été offerte par les services d'Air-France lorsque j'avais fait
transformer mon billet afin de pouvoir continuer mon voyage
par le Cambodge, ce qui s'était décidé brusquement. Je n'y
5 avais que le strict nécessaire pour passer quatre nuits: trois
chemises blanches, deux paires de chaussettes, trousse de
toilette et rasoir, pyjama, pantoufles, chandail, quelques cra-
vates. De l'autre côté des barrières nous attendaient quelques journalistes, l'assistant français de l'université et un
10 professeur coréen.

Dans la Packard noire, comme nous filions vers la ville,
j'avouais à l'ambassadeur mon ignorance quasi totale du
pays où je venais d'atterrir:

«Je ne sais même pas quelle langue on parle ici. Se
15 rapproche-t-elle du Chinois ou du Japonais?

—Ni de l'un, ni de l'autre.

—Mais elle appartient à quelle famille?

—On ne sait pas au juste.[6] Certains disent finno-ougrienne.[7]

20 —Finno-ougrienne?

—Ce serait l'extrême-pointe d'une migration...»

Il faisait très beau, très froid.

«C'est le temps de Pékin», me dit l'ambassadeur.

Et le temps était redevenu très beau, le ciel très bleu,
25 pour la visite des tombeaux. Nous avons quitté la route principale pour nous engager dans une piste mouvementée entre
des broussailles.

«C'est un pays où il vaut mieux avoir des voitures solides.

6. *On ne sait pas au juste:* We don't know for sure.
7. *finno-ougrienne:* Finno-Ugrian, one of the important families of
languages in the world. It includes such languages as Finnish, Hungarian,
and certain dialects of Asiatic Russia.

Celle-ci en a déjà vu de toutes les couleurs,[8] mais jusqu'à présent elle a tenu bon...»[9]

Nous avons traversé un village. Parmi les porcs, franchissant un ruisseau de purin, une grande coréenne, retroussant légèrement sa longue robe de soie cyclamen.   5

Nous parlions de sa vie, de son travail; seul spécialiste français du Coréen, après avoir étudié un peu de Chinois à l'école des langues orientales de Paris, conseillé par ses professeurs, il était venu à Séoul pour apprendre la langue, et avait déjà passé un diplôme sur les onomatopées dans la   10 littérature récente.

«Mais ils utilisent l'écriture chinoise.

—C'est-à-dire qu'ils ont un alphabet phonétique excellent de 24 signes, mais ils y ajoutent quelques trois mille idéogrammes.   15

—Qu'ils lisent en Coréen?

—En général, sauf pour les noms propres. En effet, tous les noms propres sont chinois.

—Et les Coréens en comprennent-ils le sens?

—Absolument pas lorsqu'ils les entendent, mais fort bien   20 lorsqu'ils les lisent; ainsi certains peuvent être ridicules pour l'œil; on accorde donc toujours une grande attention au choix d'un prénom. Il faut dire qu'un nom coréen se compose toujours de trois parties: le nom de famille, un nom de génération et celui de l'individu.»   25

Nous étions arrivés. Nous sommes descendus de voiture. Le gardien, sans se déranger, nous fit signe de sa chaumière que nous pouvions aller. Une grande pancarte peinte indiquait la situation des mausolées. Nous nous sommes en-

---

8. *Celle-ci en a déjà vu de toutes les couleurs:* That [car] had already gone through quite a lot.
9. *elle a tenu bon:* it held up well.

gagés sur le sentier, bientôt le premier tumulus nous est
apparu sur la droite.

Au pied, de petits édifices de bois point en rouge abritant
des stèles. Passant sous les portes monumentales (ma mé-
5 moire est imprécise à leur sujet), nous sommes montés
jusqu'aux grands monolithes de granit gris devant le dôme
ceint de pierre, entouré d'animaux de pierre regardant dans
toutes les directions et d'une balustrade de pierre.

«Je trouve ces statues assez impressionnantes, comme les
10 figures de quelque gigantesque calvaire breton: deux fonc-
tionnaires civils, deux militaires; tout cela est imité, en beaucoup plus modeste bien sûr, des tombeaux Ming que l'on voit
dans la banlieue de Pékin.

—Vous êtes allé à Pékin?

15 —Hélas non, et je ne sais pas quand cela sera possible.»

Nous avons gravi le second tumulus. Du sommet le paysage s'élargissait, quatre ou cinq monuments nous apparais-
saient. Quel calme...

«En été les gens de Séoul viennent souvent le dimanche
20 pique-niquer; c'est très fréquenté.»

Nous étions parfaitement seuls.

J'aurais bien voulu poursuivre l'exploration, interroger
d'autres collines modelées et hantées,[10] ces autres ministres,
ces animaux, détailler le site et ses orients, mais l'heure
25 tournait.

Le lendemain j'ai survolé la mer du Japon, je suis arrivé
le soir à Tokyo. De nouveau les formalités: passeport, tampons, douane. Un Français m'attendait, m'a conduit par
l'autoroute à l'institut franco-japonais où j'ai retrouvé ma
30 grande valise. Le directeur était chez lui; il m'a fait écouter
un disque de musique européenne, puis nous sommes

---

10. *d'autres collines modelées et hantées:* other hills that were carved
up and haunted [by past history].

partis tous deux dans sa voiture à la recherche de la maison
où nous devions dîner.

L'heure tourne. Sur une corde de nylon bleu, on a mis
du linge à sécher. Le ciel au dessus de la pente du toit est
gris. A gauche les feuilles vert jaune d'un autre orme. Ce   5
n'est que la fin d'août, mais l'automne commence tôt dans
les montagnes.

Que connaissais-je de la Corée avant ce bref passage?

Un ou deux timbres, trésors sur lesquels j'avais réussi à
mettre la main à la suite de savants échanges,[11] dans les cours   10
de récréation, lorsque j'étais en sixième ou cinquième,

dans «le Roi-Lune» d'Apollinaire,[12] l'invocation de Louis
II de Bavière touchant la première note de son clavier
géographique:

«Royaume ermite! ô pays du Matin Calme! l'aube pointe   15
à peine sur ton territoire et déjà de tes couvents montent les
prières dont cet appareil précis m'apporte le murmure.
J'entends le bruissement des vestes en papier huilé des gens
du peuple, l'orage des aumônes pleuvant parmi les bo
cu-
lades des pauvres gens. Je t'entends aussi, cloche de bronze   20
de Séoul. Dans ta voix on distingue la plainte d'un enfant.
J'entends aussi un cortège, il suit son beau seigneur, l'Yang
Ban[13] magnifique sur sa selle. Si un jour je porte encore la
pourpre pâle qui ne convient qu'à moi, le Roi-Lune, j'irai
visiter ton décor et jouir de ton climat que l'on dit délicieux»,   25
la guerre, le 38ème parallèle...[14]

11. *À la suite de savants échanges:* as a result of some skillful ex-
changes [of stamps].

12. *«Le Roi-Lune»*: a tale that appears in *Le Poète Assassiné* by the
twentieth-century modernist poet Guillaume Apollinaire (1880–1918).

13. *l'Yang Ban:* this name appears in «Le Roi-Lune» by Apollinaire and
refers to a well-known and magnificent Korean emperor of the past.

14. *le 38ème parallèle:* the dividing line between North and South
Korea, the crossing of which, by the forces of the North, was the cause of
the Korean War.

—quand j'étais à Berlin,[15] il y a quelques années, j'y avais
rencontré un compositeur venu de là-bas, Isan Yun; j'avais
pu entendre quelques-unes de ses pièces dans lesquelles,
nous disait-il, une tradition coréenne persistait à travers l'influence de l'actuel occident—,

une lettre reçue quelques mois plus tôt, avec un timbre
qui a fait la joie d'un de mes neveux, m'invitant puisque
j'avais le projet de me rendre en extrême-orient, à venir faire
deux conférences à Séoul,

depuis le début de mon séjour au Japon, tout ce que
j'avais pu glaner d'indications sur le rôle essentiel qu'avait
joué la péninsule dans le passage des influences chinoises
vers l'archipel,

et chez le directeur de l'institut franco-japonais qui
m'avait laissé la disposition de son appartement pour quelques jours tandis qu'il m'avait précédé à Séoul, une collection
de céramiques et bronzes en provenant.

Sortant d'une fenêtre dans le mur de gauche perpendicu-
laire à ma vue, de la maison dont je ne vois qu'une face
aveugle, entre les feuilles déjà un peu jaunes de l'orme, la
tête aux cheveux blonds, le torse blousé de bleu, les bras
d'une femme étendant du linge sur un petit séchoir suspendu: torchons blancs et bruns, tabliers bleu vif, tenus par
des pinces de bois sur les fines tringles de métal peint en
blanc. Plus près de moi les branches d'un prunier, avec
quelques fruits déjà dorés, presque mûrs.

C'était donc il y a neuf mois. Le soir de mon arrivée,
j'avais été invité par les membres de la société coréenne de
langue et de littérature française à un dîner dans une ancienne demeure transformée en restaurant semi-officiel. Dans
un premier pavillon, une collection d'instruments de musique

15. See Introduction (page xii) for details concerning Butor's trip to
Berlin.

anciens. Un chemin de pierre dans un petit jardin. A l'entrée du second pavillon on enlevait ses chaussures. Le sol, couvert d'une substance brunâtre qui me faisait penser à du linoléum, était fort chaud.

Dans la salle à manger se trouvait déjà, parmi de nombreux hôtes coréens, le directeur de l'institut franco-japonais de Tokyo qui devait repartir le lendemain pour le Japon où je le retrouverais dans quelques jours.

«Comme je compte vous demander encore une fois l'hospitalité à mon retour, je me suis permis de laisser ma valise dans la chambre. J'ai préféré n'apporter ici que le strict nécessaire.

—Je crois d'ailleurs que nous sommes invités à dîner ensemble, et c'est moi qui vous emmènerait le matin à l'aérodrome. Quel temps faisait-il à Tokyo?

—Plutôt chaud. La fraîcheur m'a surpris quand je suis descendu de l'avion.

—Alors vous appréciez déjà les avantages que peut présenter le hondol coréen,[16] ce sol chauffant, par rapport aux tatamis japonais...»[17]

Nous revenions des tombes, tout s'était bien passé. Encore un convoi militaire. Nous étions déjà dans les faubourgs. Des hommes portaient sur leur dos de grandes briques de poussière de charbon agglomérée.

«C'est pour chauffer le hondol. Une brique comme celle-là tient à peu près vingt-quatre heures. Ah! ça y est...»

La voiture s'est arrêtée. Silence. Nous étions dans une flaque de boue. Contact, crachotis, une secousse, puis plus rien.

«Bien. Restez là, je vais essayer.»

16. *hondol coréen:* a primitive heating device or stove used to warm the floor of Korean homes.
17. *tatamis japonais:* straw mats which cover the floors of traditional Japanese houses, used as a kind of insulation against the damp cold.

Il est sorti, manivelle en main. La boue n'était pas très profonde. Après quelques efforts, le moteur s'est remis en marche.

«Il y a déjà un certain temps qu'elle donne des signes de fatigue; il faut absolument que je la fasse réviser.»

Quelques mètres plus loin, une autre flaque; nous passons. Une troisième flaque, panne.

La route était maintenant une rue. Nombreux passants. La boue était nettement plus profonde. Après l'essai infructueux de la manivelle:

«Tenez le volant s'il vous plaît. Je vais essayer de pousser la voiture jusqu'à un endroit plus sec.»

Il parlemente avec quelques ouvriers qui lui viennent en aide. La voiture avance, sort de la flaque. Toute une grappe de visages d'enfants le nez écrasé contre une vitre. Je pense à mes filles de l'autre côté de la terre.

Il revient dans la voiture, fait signe aux autres de continuer à la pousser, et réussit à la mener dans une sorte de cour de caserne où étaient alignés plusieurs camions.

«Je ne connais pas de gens plus serviables que les Coréens.»

Ses deux chaussures étaient remplies de boue.

Le surlendemain le directeur de l'institut franco-japonais m'a mené à l'aéroport de Tokyo. J'y ai retrouvé quelques amis venus pour me dire au revoir. Puis les formalités, les passeports, les tampons. Cette fois c'était un avion d'Air-France. Une dernière vue du Fuji, l'île de Kyu-Shu, la mer de Chine, Formose, une jonque, dans le port de Hong-Kong des milliers de jonques, l'aéroport de Hong-Kong où nous faisons une escale d'une heure. La boutique de souvenirs: quelques montres, quelques perles.

Entre une branche d'orme et une branche de prunier, au delà des torchons bruns qui sèchent, un morceau de la façade d'une autre maison, un morceau d'une fenêtre vue de face, avec des rideaux de tulle à broderies blanches. Le gave qui passe à ma gauche, caché par l'orme et le prunier, continue son grand bruit d'éclaboussures.

Mon premier matin à Séoul, un grand vent très froid s'était levé.

«Cela nous vient de Sibérie», m'a dit l'ambassadeur, «après avoir fait geler les Mongols et les Mandchous.»

Arbres tordus, glace dans les flaques. Je grelottais dès que je mettais le pied dehors.

L'après-midi cela s'était calmé. Le thermomètre remontait. J'ai visité quelques palais, le musée d'art installé dans un affreux bâtiment néo-grec bâti sur les plans d'un architecte anglais lors de l'occupation japonaise à la fin du siècle dernier.

Temps très doux au réveil suivant, comme celui que j'avais quitté au Japon, mais bientôt les nuages s'alourdirent, et brusquement, au coucher du soleil, comme j'allais faire ma première conférence, une pluie comme je n'en avais encore jamais vue.

«Un morceau tardif de mousson»,[18] me dit l'ambassadeur.

La longue voiture n'arrivait plus à avancer dans les rues transformées en rivières. Les essuie-glaces avaient beau battre,[19] impossible de rien distinguer à travers l'épais ruissellement.

Les couleurs des rares enseignes lumineuses malaxées dans ce pétrin liquide.[20]

«La moitié de la population est constituée de réfugiés

18. *un morceau tardif de mousson:* a last flair-up of a monsoon.
19. *Les essuie-glaces avaient beau battre:* No matter how hard the windshield wipers worked.
20. *malaxées dans ce pétrin liquide:* mixed in this kneading trough which through the rain-covered windshield seems liquified.

qui vivent dans des bidonvilles[21] sur les pentes sans la moindre fondation, bien sûr, et quand il fait ce temps-là, des quartiers entiers roulent dans la boue...»

La boue.

Nous roulions de nouveau.

Une flaque beaucoup plus profonde.

La secousse.

L'onde sur la boue.

«Cette fois, c'est fini. Restez ici. Je vais essayer de trouver un téléphone pour qu'on vienne nous dépanner.»[22]

La portière ouverte, la boue a commencé à s'infiltrer à l'intérieur. Il enfonçait jusqu'à mi-mollet. Puis je l'ai vu louvoyer[23] entre les maisons.

J'ai installé mes jambes de façon à rester propre. Le vent froid s'était remis à souffler. J'ai regardé pendant de longues minutes les branches se tordre au soleil, les passants m'interroger du regard et du geste, des enfants médusés répondre peu à peu à mes sourires.

Je me disais: «un jour je raconterai cela.»

Je pensais au mot de Napoléon, tel qu'il est cité par Ezra Pound[24] dans les *Cantos:*

«Mud, fifth element».

Il est revenu, serrant le col de son manteau. Les tiges des pédales émergeaient à peine d'un petit lac de boue.

«J'ai réussi à avoir l'ambassade. On va nous envoyer quelqu'un pour nous faire rentrer. Je ferai chercher la voiture ce soir. Nous n'avons plus qu'à attendre.»

21. *bidonvilles:* the popular French term for slums.
22. *nous dépanner:* to get us going again.
23. *louvoyer:* to wind (its way) slowly.
24. *Ezra Pound:* a controversial and gifted modern American poet who spent most of his life in Europe. His *Pisan Cantos* received the Bollingen Prize as the finest volume of poetry in 1948.

Il m'a parlé de ses projets, de ses difficultés lors de son arrivée à Séoul, de la littérature coréenne...

Heureusement un camion militaire isolé, alerté sans doute par ceux qui nous avaient secourus quelques mètres auparavant, s'est arrêté à notre hauteur. Un grand soldat débonnaire très jaune en est descendu avec une corde, en bottes, a échangé deux mots avec mon compagnon, et nous a pris en remorque.[25]

Dix minutes plus tard, nous croisions la jeep de l'ambassade.

Signaux. Arrêt. Avec un peu d'acrobatie, je me suis extrait de la carapace boueuse sans trop me tacher.

«A tout à l'heure».

Il restait dans sa voiture que l'on détacherait devant son garage.

C'était fini. J'étais dans une ville, un peu en retard pour le déjeuner de l'ambassadrice, mais présentable; jusqu'au début de la conférence, rien ne pouvait plus m'arriver.

Le surlendemain soir, j'ai atterri au Cambodge, vêtu du même costume, avec le même manteau sur le bras. Dès la sortie de l'avion, j'ai commencé à transpirer.

Le soleil tache les branches de l'orme et du prunier. Le petit sapin projette son ombre sur le mur en face. Le bruit du gave couvre celui de ma machine. Je regarde ce que je viens d'écrire.

© Michel Butor tous droits réservés

25. *nous a pris en remorque:* towed us.

EXERCICES

Questions spécifiques:

1. A quel pays de l'autre côté de la terre Butor pense-t-il lorsqu'il est en France?
2. Quelle était la profession des passagers dans l'avion qu'il avait pris?
3. Lors de sa visite à Séoul où logeait-il?
4. Quelles sortes de personnages est-ce que l'auteur a rencontrés dans les avenues de la ville?
5. A quel coin de France la campagne coréenne ressemble-t-elle selon Butor?
6. Pourquoi un Coréen ne veut-il pas être enterré dans un cimetière municipal?
7. Devant quel auditoire Butor prononça-t-il sa deuxième conférence à Séoul?
8. Qu'a-t-il acheté comme souvenirs de sa visite en Corée?
9. Quels sont les effets personnels que Butor rassemble dans sa petite valise blanche pour ses quatre jours au Cambodge?
10. Quel temps faisait-il lorsque Butor a visité les tombeaux?
11. Pourquoi l'ambassadeur français est-il venu à Séoul?
12. Quelle est l'origine de la langue coréenne?
13. Quelles sortes de tombeaux coréens Butor voit-il?
14. En été, quelle est une des distractions favorites des habitants de Séoul?
15. Pourquoi Butor avait-il été forcé d'écourter sa visite aux tombeaux de la ville?
16. Que connaissait-il de la Corée avant de s'y rendre?
17. Pourquoi Butor est-il allé en Corée?
18. Combien de temps après sa visite à Séoul a-t-il composé ce conte tiré de ses aventures coréennes?
19. Qui avait fait un dîner spécial en l'honneur de Butor?
20. Pourquoi la voiture ne peut-elle pas avancer?
21. Dans quelle sorte d'automobile voyage Butor?
22. Comment est le bâtiment du musée d'art à Séoul?
23. Quel temps faisait-il le matin où Butor devait faire sa première conférence?

24. Comment vit la moitié de la population à Séoul?
25. Qui dût dépanner Butor lorsque sa voiture fut embourbée sur la route qui le conduisait à l'ambassade?

Sujets généraux:

1. Quelle impression le lecteur ressent-il quand l'auteur saute d'un lieu à un autre, sans aucune transition?
2. Pourquoi la boue dans la ville de Séoul laisse-t-elle une impression si durable dans l'esprit de Butor qu'elle prend une place prépondérante dans son conte d'inspiration coréenne?
3. D'après la description que Butor fait de la Corée, êtes-vous tenté de vous y rendre? Quelle que soit votre réponse, justifiez-la.
4. Décrivez, en quelques mots, la vue que Butor contemple de sa retraite des Pyrénées au moment où il écrit son conte coréen.
5. Pourquoi Butor a-t-il l'air de s'intéresser tellement aux conditions atmosphériques dans les pays d'Orient qu'il visite?

THÈME D'IMITATION

The French tourist arrived in Seoul following a trip in an American plane filled with soldiers. As he went down an endless avenue, from the airport to the brand-new French Embassy in which he was to stay during his visit, he noticed all sorts of people: furniture-makers, well-dressed old men, and lots of husky fellows dressed in army surplus. Puddles of mud were everywhere, and at one point a little brook seemed to block the road. Miraculously the ancient Packard was able to cross these obstacles. That night the Frenchman was supposed to give a lecture at a university for women.

During the three days that he spent in Seoul he visited the site of some historic mausoleums, attended a semiofficial dinner in an ancient residence that had been converted into a restaurant, saw several palaces, and above all the museum of art which is housed in a frightful building of neo-Grecian architecture. But he would

never forget the mud that he saw everywhere. At one point his
car could not move, and it was necessary for a military truck to
come and tow him out of the puddle. He was very happy to
return to France, where he could write about his Korean adventures, as he stared out of the window and saw the sun making
spots of light on the branches of the plum trees, the elms, and the
pine trees that filled his garden.

La Pluie à Angkor

Je regarde la page encore blanche. Le bruit de ma machine
commence à se mêler à celui du gave. Sur le mur d'en face,
l'ombre du petit sapin. Le prunier et l'orme balancent leurs
branches ensoleillées.

5   J'arrivais de Séoul où il faisait déjà froid; c'était l'an
dernier en novembre. Après une dernière nuit à Tokyo,
j'avais pu détailler depuis l'avion d'Air-France encore une
fois le Fuji, admirer une jonque solitaire juste avant l'escale
de Hong-Kong. Dès ma sortie de l'appareil j'ai commencé à
10   transpirer.

       J'étais logé au Grand Hôtel d'Angkor[1] à Siemréap.[2]
Après le petit déjeuner tout occidental (sur la table un petit

---

1 *Angkor:* the partially restored ruins of the destroyed Khmer civiliza-
tion in Cambodia. The ruins are divided into two major parts: Angkor-
Thom (the capital of the Khmer kingdom) and Angkor-Wat (a temple dedicated to the worship of Brahma and Buddha, situated one mile to the south
of the former capital). During the course of this short story, Butor makes
numerous references to specific buildings in the ruins area, references based
on a French-language guidebook he has read in conjunction with his visit
to the site.

2. *Siemréap:* the Cambodian town in the west-central part of the

bouquet d'hibiscus), j'ai arrangé la réservation pour mon retour à Phnom-Penh [3] au bureau de Royal Air Cambodge situé dans le hall, puis, en rédigeant mon télégramme au conseiller culturel pour l'avertir de l'heure de mon arrivée le lendemain, j'ai demandé au portier:

«Va-t-il pleuvoir?

—Oh non monsieur, plus maintenant.»

En bas du grand escalier extérieur plusieurs moto-pousses [4] musaient en quête de touristes.[5] J'ai fait signe à l'un d'eux écartant les autres qui se précipitaient, et nous nous sommes mis d'accord sur un prix pour qu'il me fasse exécuter le «grand circuit».

Le motopousse à Siemréap est constitué d'un vélomoteur auquel s'accroche une légère remorque à deux roues dans laquelle le client s'installe; le dossier est fort incliné et l'euro-péen a les genoux à peu près à la hauteur de sa tête.

Pendant mes quelques semaines au Japon, j'avais acquis le sentiment d'avoir des jambes immenses, indécentes; elles m'encombraient partout, dans les voitures, les avions, les trains, et naturellement dans les restaurants traditionnels lorsqu'il fallait manger assis par terre. En Corée, j'avais eu l'impression qu'elles redevenaient normales, et voici qu'elles recommençaient à m'embarrasser.

Nous avons enfilé la longue route droite qui mène de Siemréap au temple d'Angkor-Vat que nous avons con-tourné vers la droite, puis nous nous sommes enfoncés dans la forêt. Maisons sur haut pilotis çà et là, couvertes de feuilles de palmier; de beaux petits enfants noirs nus.

J'ai gravi de nombreuses pyramides rouges ou grises, caressé maint éléphant de grès:

country which is situated only a few miles from the famous ruins and serves as the principal point of sojourn for tourists.

3. *Phnom-Penh:* the present-day capital of Cambodia.

4. *motopousse:* a small motor-driven cart used in Cambodia to trans-port tourists.

5. *musaient en quête de touristes:* were hanging around looking for tourist business.

Pre Rup («tourner le corps», prononcer Prè Roup)

«...dernière réalisation de «temple-montagne» ayant précédé l'apparition de galeries continues qu'annoncent déjà les
enfilades de salles longues ceinturant la base... le nom...
rappelle un des rites de l'incinération, où la silhouette du
corps du défunt, esquissée avec ses cendres, est successivement représentée selon des orientations différentes...»,

Prasat Leak Neang («sanctuaire de la dame cachée»,
prononcer Léan Néangue),

—mon conducteur, à chaque station coutumière, s'arrêtait de lui-même, nul besoin de lui demander:

Mébon oriental (prononcer Mébaune), au centre d'un
immense réservoir d'eau aujourd'hui transformé en rizières,
avec ses villages,

Ta Som («l'ancêtre Som»), porte triomphale surmontée
de quatre visages de Lokeçvara [6] le compatissant regardant
les quatre points cardinaux (les racines du grand ficus qui
les coiffe ruissellent sur leurs paupières, caressent leurs
lèvres, les embrassent de toutes parts, les prennent, les pres-
sent de leurs mains végétales, puis se précipitent à travers
les moindres fissures jusqu'au sol),

—il s'asseyait sur le sol, ou sur un banc s'il y en avait, et
attendait que j'eusse terminé mes exercices dans le monument:

Krol Kô («le parc à bœufs)»,

Néak Pean («les serpents enroulés», prononcer Néaque
Ponne), grand bassin carré avec un îlot circulaire au centre
surmonté d'un petit sanctuaire, entouré de quatre bassins
carrés plus petits communiquant avec le premier par des

---

6. *Lokeçvara:* one of the compassionate figures in Buddhism who de-
votes himself to the salvation of mortals by first teaching them. Considered
to be "The Lord of the Universe," out of whom all the deities of the ancient
religion of Brahma emanate. Often considered to represent goodness, provi-
dence, and pity for all mankind.

fontaines chapelles,[7] tout cela à sec, le fond couvert de feuilles mortes, immenses arbres tout autour dans le soleil éblouissant,

mais le ciel se couvrait de plus en plus

—en général le gardien du lieu venait le retrouver et ils   5
devisaient doucement tandis que j'escaladais les gradins, fouinais dans les niches:

Prasat Prei («le sanctuaire de la forêt»),

Bantéay Prei («la citadelle de la forêt»);

des tonnerres de moins en moins lointains grondaient.   10

Le soir, il devait y avoir une présentation de danses cambodgiennes dans le temple d'Angkor Vat. Je ne voulais pas la manquer.

Après le dîner au Grand Hôtel, un minicar a transporté les amateurs jusqu'à l'Auberge Royale des Temples en face   15
de l'entrée principale. C'était nuit noire. Des enfants avec des lampes torches éclairaient nos pas sur la grande chaussée. Quelques fauteuils de jardins disposés, quelques projecteurs. Les musiciens se sont accroupis. Entrée des petites danseuses en costumes chamarrés qui ont mimé des scènes du Rama-   20
yana.[8] Le public était composé en majeure partie d'américaines (escale de leur tour du monde). Beaucoup de moucherons et de moustiques bourdonnant.

Continue le grand bruit d'éclaboussures [9] du gave à ma gauche, caché par l'orme et le prunier. Entre leurs branches,   25
au delà du mur aveugle et du séchoir, les broderies blanches

7. *des fontaines chapelles:* fountains, presumably in the shape of chapels.

8. *Ramayana:* great Sanskrit epic of India celebrating the adventures of Rama, a reincarnation of the Hindu god Vishnu.

9. *Continue le grand bruit d'éclaboussures:* This inverted word order is typical of Butor's desire to rework normal French syntax so that his prose gains a special poetic quality. In normal French prose the sentence would read: «Le grand bruit d'éclaboussures continue.»

sur les rideaux de tulle dans le morceau de fenêtre vu de
face, sont légèrement écartées par une main que j'imagine
vieille.

A l'aérodrome de Phnom-Penh, le conseiller culturel que
5 j'avais déjà rencontré quelques années auparavant en Es-
pagne, puis en Israël, m'a mené au bar en plein air où il m'a
offert un gin and tonic, et m'a expliqué que pour voir Angkor,
comme j'en avais l'intention, il fallait que je reparte immédiatement pour Siemréap. Il m'avait retenu une place dans
10 l'avion et une chambre au Grand Hôtel.

«L'Auberge Royale est beaucoup mieux, mais elle est
pleine.»

La tête me tournait un peu.[10] Il m'a fait un programme
de visite. La plupart des noms qu'il énumérait ne signifiaient
15 rien pour moi.

«Le mieux c'est que vous reteniez pour la journée un
motopousse.

—Qu'est-ce qu'un motopousse?

—C'est l'équivalent actuel du pousse-pousse.

20 —Et... ils parlent français ou anglais ou...

—On se fait très bien comprendre en français.

—Je trouverai sans doute des bouquins là-bas...

—Je vous ai apporté mon guide des monuments d'Angkor
pour que vous puissiez y jeter un coup d'œil dès ce soir. Vous
25 aurez tout le temps de vous en acheter un autre. Nous allons
voir maintenant si votre valise est là, et nous la réenregistre-
rons pour Siemréap. Je n'ai pas pu vous faire la réservation
pour le retour. Vous ferez cela à l'hôtel. Il y a en général
deux avions par jour, un le matin, un le soir. Voyons, nous
30 sommes dimanche, votre première conférence ici a lieu
jeudi, donc vous pourrez prendre celui que vous voudrez
mercredi, celui que vous voudrez ou plutôt celui où il y aura
des places, car ce sont de petits avions; envoyez-moi un

10. *La tête me tournait un peu:* I was a little dizzy.

télégramme dès que vous serez fixé.[11] Profitez bien d'Angkor,
c'est un lieu fait pour vous...»

La première caractéristique des monuments d'Angkor,
outre leur enfouissement dans la forêt tropicale, est l'ampleur
sublime de l'urbanisme fantôme dont ils animent les foyers.   5
Tout est ici composition, préparation, passage, réverbération,
résonnance. Tout monument répond à quelque autre,[12] en
relie d'autres, ce qui s'exprime en particulier sur le plan par
les immenses axes sur lesquels ils s'alignent, et, dans les
ruines, par le superbe traitement des voies d'accès.   10

Le guide, que j'avais laissé à l'hôtel, n'emportant avec moi
qu'une petite carte archéologique de la région, disait qu'il
valait mieux, dans la visite de

Prah Khan («l'épée sacrée», prononcer Prah Khane), demander au «véhicule» de vous attendre de l'autre côté. Je   15
m'apprêtais à faire cette proposition à mon conducteur, mais
celui-ci m'a indiqué par signes qu'il se conformait à cette
prescription bien que je lui fisse faire le «grand circuit» tel
qu'il était décrit dans l'ouvrage, c'est-à-dire en sens inverse
de celui dont il avait l'habitude, parce que j'avais l'intention   20
de m'arrêter au retour à l'Auberge Royale des Temples pour
y déjeuner afin de voir à loisir l'après-midi Angkor-Vat.

Il m'a donc laissé seul. Chaussée triomphale bordée de
balustrades en forme d'immenses najas [13] têtes dressées, soutenus par des géants, puis la grande porte à trois tours, puis   25
de nouveau l'allée forestière, marches, terrasses, les tours
d'une seconde porte derrière laquelle commençaient corridors et cloîtres.

Nuages de plus en plus menaçants, mais un peu de bleu

11. *dès que vous serez fixé:* as soon as you know definitely.
12. *Tout monument répond à quelque autre:* each monument is
matched by another one.
13. *najas:* a kind of cobra snake.

encore çà et là, une barre de soleil balayant les ramures et
les pierres. Quelques cris de singes.

Parois gravées de danseuses, linteaux, les plafonds bais-
saient de plus en plus; à droite et à gauche, des cours, des
5   galeries, des salles, certaines complètement éboulées, chaos
rocheux comme on en rencontre dans les montagnes d'où
jaillissaient d'immenses arbres.

Le vent s'est mis à souffler. Quel bruissement...

J'ai croisé un touriste français, à cheveux blancs. Sans
10   doute son motopousse l'attendait à l'endroit où le mien
m'avait laissé.

Le chant d'une flûte. C'était un jeune cambodgien très
noir, pagne noir, dans une cour, assis sur un des petits murs
qui marquent tous les seuils, faisant de chaque salle comme
15   un bassin. Il en avait étalé cinq ou six près de lui:

«Not expensive, Monsieur, souvenir.»

Sans insister. Sourires. Après mon passage il s'est remis
à jouer pour lui seul. J'avais déjà entendu plusieurs de ces
flûtes la veille, accompagnées la plupart du temps par les
20   cloches de bois qui servent à identifier les buffles et arracher
quelques sous aux touristes, mais ç'avait été des démonstra-
tions très sommaires, quelques roulades, tandis que cette fois
la mélopée s'étendait, se reprenait, incomparablement tendre
et mélancolique avec des zèbrures de sarcasmes.

25   J'approchais du centre, sombre croisée de corridors
marquée de la seule statue qui reste en ce temple, un
Lokeçvara debout à huit bras, toutes mains coupées, irra-
diant de minuscules bouddhas gravés de ses orteils aux
boucles de sa chevelure, quelques fleurs fraîches à ses pieds.

30   Le lendemain matin, avant l'aube, le car du Grand Hôtel
m'a reconduit au terrain d'aviation avec tout mon barda de
voyageur,[14] manteau sur le bras, la petite valise d'Air-France,

14. *tout mon barda de voyageur:* all of my traveling gear.

la grosse new-yorkaise très lourde bourrée de cadeaux
japonais.

Le jour s'est levé très couvert; j'ai pu revoir d'avion la
forêt de visages qu'est le Bayon,[15] puis a défilé la campagne
inondée, les villages sur pilotis.   5

A Phnom-Penh j'avais donc toute une grande journée
devant moi à dormir, traîner dans les marchés parmi les
odeurs, me frayer un passage dans le flot des motopousses
très différents de ceux de Siemréap, le client se trouvant devant le conducteur, et chercher dans «les Monuments du   10
Groupe d'Angkor» quelques renseignements sur ce que je
venais de voir bien trop rapidement:

«Le grand ensemble de Prah Khan, formant un rectangle
de 700 mètres sur 800 entouré de douves, couvre une super-
ficie de 56 hectares...»   15

Dans l'hôtel il n'y avait pas de conditionneur d'air.

Conférences, dîners d'ambassade, le musée avec le
fameux bas-relief détaché du temple dit

Banteay Srei («la citadelle des femmes», prononcer Ban-
téaille Sreille)   20

par André Malraux[16] du temps de ses aventures,

les conversations sur la guerre au Vietnam tout proche,
malédiction des parallèles,

les «Ganéfo»[17] (games of new forces) en plein déroulement, avec les manifestations d'enthousiasme des marchands 25
chinois de la ville devant les succès des équipes venues de
Pékin,

15. *Bayon:* a part of the ruins of Angkor.
16. *André Malraux:* (1901–   ), the French Minister for Cultural
Affairs in the DeGaulle government. Malraux went to Indochina in 1923 on
an archeological expedition in the heart of the country. He was tried the
following year for having removed some of the bas-reliefs of the Temple of
Banteay-Srei, a national shrine. Malraux's adventures of this period have
been vividly recaptured in his novel *La Voie royale* (1930).
17. *Ganéfo:* a kind of Olympic Games for athletes from many of the
Asiatic countries.

une excursion dans une petite ville où le conseiller culturel avait une inspection à faire, avec la visite d'un monastère célèbre par ses singes apprivoisés

     tous ces jeunes bonzes aux péplums oranges lumineux,
5 leurs ombrelles, les gamelles dans lesquelles ils vont mendier
leur nourriture, leur sourire indiciblement reposant.

Les prunes sont de plus en plus dorées, presque oranges.
Le ciel est gris, il va pleuvoir. La tête aux cheveux blonds,
le torse blousé de vert, les bras de la femme sortent de la
10 fenêtre que je ne vois pas, décrochant le linge sec, torchons
blancs et bleus, tablier brun sombre. Sur ma table «les
Monuments du Groupe d'Angkor» ouvert à la page du plan
de Prah Khan.

Que connaissais-je du Cambodge avant?
15   Quand j'avais six ou sept ans, à Paris, à l'exposition colo-
niale, la reconstitution d'un monument,
     les salles du musée Guimet,[18]
     un vieil ouvrage qu'un de mes amis, après la libération,
avait trouvé dans une boîte des quais à deux exemplaires, en
20 achetant un pour moi,
     à Tokyo, l'expression d'envie d'un ami japonais quand je
lui avais dit que je passerais par Angkor:
     «Ah, vous avez de la chance, c'est un lieu...mystique...»
     (et depuis je réfléchissais à ce qu'il avait voulu m'indi-
25 quer, m'enseigner par la façon dont il avait prononcé, manifestement à défaut d'un autre,[19] ce mot dangereux; quel
secret nous y attendait lui et moi, m'envoyait-il chercher
pour lui?
     et de quelle façon quelque jour réussirai-je, par l'intermé-

18. *le musée Guimet:* the principal museum in Paris devoted to the
art of China, Japan, and India.
19. *manifestement à défaut d'un autre:* obviously for want of another.

diaire d'un texte parlant peut-être en apparence de tout autre
chose...),

un autre:

«Vous verrez, on dit qu'ils sont jaunes comme nous, mais
ce n'est pas vrai, ils sont tout à fait noirs...»;

le directeur de l'institut franco-japonais m'avait engagé
à ne pas manquer Banteay Srei (j'avais été obligé de lui faire
répéter le nom plusieurs fois)

«...un peu à l'écart, de très petites proportions par rapport
aux autres monuments, mais d'une extraordinaire qualité de
sculpture; c'est là, vous savez, qu'André Malraux...»,

et à Séoul l'ambassadeur, qui avait la réputation de ne
s'intéresser qu'aux objets chinois et coréens anciens, de
mépriser tout ce qui était khmer:

«Angkor..., comme ensemble architectural, avec Boroboudour,[20] c'est sans doute ce que vous pourrez voir de plus
extraordinaire dans tout l'extrême-orient; Ellora[21] peut-
être... mais Ellora... Enfin, vous y allez à une bonne époque;
vous avez de la chance; les plus grosses chaleurs seront termi-
nées, et il ne pleuvra plus.»

L'automne commence tôt dans les montagnes. Ce n'est
que la fin d'août, mais il y a de plus en plus de feuilles jaunes
dans les ormes. Les premières gouttes. On a ramassé tout le
linge que l'on avait mis à sécher sur la corde de nylon bleu.

L'avion de Phnom-Penh à Siemréap était fort plein.
C'étaient des Français surtout, des professeurs pour la plupart, j'imagine. Le ciel s'est rapidement couvert et la nuit est

20. *Boroboudour* (*Bodobudur*): the ruins of a huge temple in Java,
dating from the seventh century. This structure is considered to be the
largest example of Buddhist architecture in the world.
21. *Ellora*: famous rock temples in Hyderabad, India, carved in the
hills and representing three different stages of Indian history: Buddhist,
Hindu, and Jain.

tombée assez vite, bien avant que je pusse apercevoir quoi que ce fût des monuments.[22] Le crépuscule avait laqué d'indigo les régions inondées.

Dans la lumière insuffisante, j'ai commencé à lire «les Monuments du Groupe d'Angkor»:

«chapitre premier

La race khmère, des origines à la période contemporaine

Si l'on en croit la légende, les anciennes dynasties du royaume khmer se rattachent à l'union d'un prince hindou, Preah Thong, chassé de Delhi par son père, avec une «femme-serpent», fille du nagaraja,[23] souverain du pays...»

A l'arrivée la douane; en effet, nul n'avait songé à ouvrir ma valise à Phnom-Penh. Le linge sale (Corée, Japon) en débordait.

A la sortie de l'agréable bâtiment moderne à toit pointu, dans la nuit noire, un petit autocar attendait les clients de l'Auberge Royale des Temples, un autre celui du Grand Hôtel.

Collé à la vitre tressautante, je regardais l'intérieur des maisons sur pilotis éclairées par des quinquets à pétrole.

Au bas des marches de l'escalier, une vingtaine de cambodgiens vêtus de surplus américains nous attendaient, vociférant dès que l'autocar eût stoppé:

«Motopousse, pas cher, monuments, grand circuit, petit circuit, moi Monsieur, mon numéro, confortable...»

Oui, on avait bien retenu une chambre pour moi; quant à l'avion de retour, c'était le surlendemain seulement que serait ouverte la permanence de Royal Air Cambodge.

La chambre était très grande; les draps du lit à deux

22. *bien avant . . . des monuments:* a long time before I could catch a glimpse of any monument whatsoever.

23. *nagaraja:* the name of one of the deified serpents in ancient Hindu mythology.

places, très spacieux, étaient en tissu éponge.[24] Il y faisait
un peu frais; j'ai arrêté le conditionneur d'air.

J'avais très faim, j'étais fourbu. En descendant dîner, j'ai
regardé les annonces de promenades organisées; je préférais
me laisser d'abord un peu conduire avant de me risquer en   5
motopousse. J'ai pris un ticket pour le «petit circuit»le matin, un pour Banteay Srei l'après-midi.

Le surlendemain, comme je continuais dans les couloirs
obscurs, quelques grosses gouttes de pluie ont commencé à
tomber dans les cloîtres, accompagnées bientôt d'un long   10
roulement de tonnerre. J'étais seul.

Il y avait encore quelques îlots bleus dans le ciel. Je me
sentais bien protégé sous ces voûtes d'énormes pierres.

Le vent s'est mis à tordre les arbres, et voilà une pluie
aussi forte que le fragment de mousson de Séoul, mais beau-   15
coup plus chaude. A certains moments je ne pouvais plus
voir l'autre côté des cloîtres, et les gouttes rebondissaient
violemment sur le rebord des fenêtres.

J'avançais de salle en salle, chacune un peu plus large, un
peu plus haute que la précédente. J'évaluais à peu près ce   20
qu'il me restait à parcourir.

«La saison des pluies est finie, me disais-je, le beau temps
sera revenu avant que j'arrive à l'autre extrémité. Tout sera
lavé. Je n'aimerais pas être dehors en ce moment.»

Entre les pierres de la voûte commençaient à tomber des   25
gouttes d'eau. Les cours étaient déjà transformées en bassins, et il y avait maintenant des flaques dans les salles.

C'était comme si, peu à peu, l'architecture devenait
poreuse.

Bientôt, en franchissant un petit mur de seuil, j'ai vu que   30
le sol de la salle suivante était couvert de plusieurs centi-

24. *tissu éponge:* terrycloth.

mètres d'eau. Je suis resté pendant quelques instants à l'abri sous le linteau, appuyé au chambranle.

Mais le sol de la salle que je venais de quitter, lui aussi se transformait en bassin. Le rideau de pluie battait toujours
5   aussi furieusement à l'extérieur. De la voûte tombaient à intervalles réguliers d'énormes gouttes qui faisaient de belles ondes interférant au dessus des dalles. Sur les parois sculptées ruisselaient des voiles liquides. Le temps passait, je recevais deci delà des éclaboussures, et il sifflait soudain
10 des courants d'air froid.

Enlever chaussures et chaussettes, rouler le bas de mon pantalon et traverser.

Une pierre parfois manquait à la voûte; un pilier de pluie tombait du ciel. Mais ailleurs, dans des endroits qui parais-
15 saient parfaitement conservés ou reconstitués, à certains interstices, c'était comme si l'on avait grand ouvert un robinet à forte pression.

Racines de trombes.[25]

Les seuls refuges c'étaient les portes à cause de l'épaisseur
20 de leurs linteaux monolithes.

Enfin je suis arrivé à la dernière salle. La chaussée, au delà du porche et des terrasses, était transformée en fleuve. La pluie était si épaisse qu'il n'était pas question d'apercevoir au fond la porte monumentale dont je connaissais l'exis-
25 tence. Je me disais:

«C'est là qu'il doit m'attendre.»

J'attendais.

Soudain j'ai senti que je n'étais plus seul. C'était le flûtiste de tout à l'heure qui s'était accroupi près de moi. Il y
30 avait dans son sourire quelque chose d'affectueux et de moqueur. Nous sommes restés au moins un quart d'heure l'un

25. *Racines de trombes:* waterspouts that were so strong that they seemed to Butor to be like vines.

à côté de l'autre sans nous dire un mot. Son long pagne noir trempé, relevé au dessus de ses genoux, collait à ses cuisses.

Brusquement il s'est redressé et a filé dans la forêt.

J'ai regardé ma montre.

Un quart d'heure plus tard, à peu près, un autre homme, plus grand, moins sombre de peau, en long pagne rouge plaqué à mille petits plis ruisselants, a débouché à droite en sautant le mur de troisième enceinte, et a contourné la terrasse sans lever les yeux de mon côté. J'ai failli l'appeler.

Peu à peu l'intensité de la pluie a diminué. Maintenant je distinguais nettement le profil de la porte triomphale au loin. J'avais faim.

J'ai déposé mes chaussures dans un recoin point trop inondé pour enlever mon veston et ma chemise, faire un paquet de tout cela, puis, le serrant sur ma poitrine, m'éclaboussant jusqu'à la ceinture de boue rouge, j'ai pataugé aussi vite que j'ai pu jusqu'à la porte.

Il n'y avait personne.

Toutes les pierres ruisselaient à l'intérieur. La pluie avait repris de plus belle.[26] Impossible d'apercevoir l'entrée du temple que je venais de quitter.

«Serait-il déjà rentré à Siemréap, las de m'attendre?»

J'avais de plus en plus faim.

Quelques jours plus tard, j'ai repris à Phnom-Penh l'avion d'Air-France qui venait de Shang-Haï . J'y étais presque seul.

Pour le dessert du dîner on m'a proposé une papaye. Rien ne pouvait être mieux à propos.

Très vite la nuit, l'Inde la nuit. J'avais fait dialoguer de nombreux personnages, dans «Réseau Aérien»,[27] au dessus de cette région de la terre que je survolais pour la première fois.

26. *La pluie avait repris de plus belle:* The rain had started again with a vengeance.

27. *«Réseau Aérien»:* See our earlier discussion of this work, page 25.

Escale à Karachi [28] sans quitter l'appareil (la piste balisée de chaque côté de lampes à pétrole aux flammes fumeuses), puis au Caire.

Il y a 15 ans, quand j'étais professeur en Egypte, jamais je
5 n'avais vu l'aérodrome, lequel a sans doute bien changé depuis lors. C'était la première fois que je remettais les pieds sur ce sol, mais pas question de quitter l'édifice. J'étais dans un demi-sommeil; j'ai regardé les magasins de souvenirs sans vouloir goûter au café.

10 J'entends les cris de mes filles dans la chambre à côté. Le jeune sapin agite ses branches dans le vent près de l'orme à larges feuilles devant le mur aveugle. A gauche, la prune qui marquait l'extrémité de la troisième branche est tombée.

Sous-bois tropicaux de ma première journée à Angkor.
15 Que j'aurais voulu rester seul et longtemps à explorer les ruines du Bayon, à subir l'ascendant de [29] ce cirque de montagnes visages compatissants!

Le laïus du guide,[30] les questions d'un couple d'américains de l'Ohio faisant leur tour du monde; j'essayais de leur
20 répondre. Leur étape précédente était Hong-Kong. Ils étaient très satisfaits de l'Auberge Royale des Temples.

«Je n'ai jamais mangé d'aussi délicieuses papayes.»

C'était un fruit dont j'ignorais encore le goût.

Ils devaient partir le lendemain pour Bangkok.

25 L'après-midi je les ai retrouvés dans le minicar qui nous a menés à Banteay Srei.

La pluie. Je calculais le nombre de kilomètres que j'aurais à parcourir pour rejoindre l'Auberge Royale des Temples; mais si la pluie allait continuer jusqu'au soir le

---

28. *Karachi:* the capital of present-day Pakistan.
29. *à subir l'ascendant de:* to be under the spell of.
30. *le laïus du guide:* the canned talk of the guide.

minicar du «grand circuit» ne viendrait pas me délivrer; plus
aucune raison d'attendre encore, il fallait plonger.

Je me suis donc remis à patauger dans le fleuve en quoi
s'était transformée la voie triomphale avec ses balustrades de
najas. Je savais qu'au bout il me faudrait tourner à gauche   5
sur la route principale qui me mènerait un kilomètre plus loin
à peu près à la porte nord de la ville d'Angkor-Tom précédée
elle encore de sa chaussée à balustrades de najas soutenus
par des files de géants; puis il me faudrait traverser toute
cette ville dévorée d'arbres...   10

L'eau.

L'eau, la pluie, l'eau.

Comme roulant devant moi, une masse jaunâtre.

C'était lui. Il s'était précipité pour rejoindre son appareil
qu'il avait recouvert d'une toile cirée semblable à celle dans   15
laquelle il s'était enveloppé. Il l'a drapée sur moi.

Pas un mot. Nous sommes repartis au plus vite. Les
gouttes de pluie piquaient comme des aiguilles.

Angkor-Tom, tous les monuments que j'avais vus lors du
«petit circuit» de la veille, devinés à travers cette fureur de   20
l'eau.

La porte du sud, avec sa chaussée, balustrades... Brusquement une éclaircie, la couverture des nuages s'est déchirée;
c'était comme une main que le soleil passait un instant pour
nous caresser. Encore un kilomètre jusqu'à l'Auberge Royale,   25
la chaussée d'Angkor-Vat. Il s'est arrêté un instant pour
s'essuyer. J'en ai profité pour renfiler chaussettes et chaussures, chemise et veston. Tout cela gouttait.

Au bar de l'Auberge, devant le regard soupçonneux du
garçon, j'ai préféré sortir d'abord une liasse de billets hu-   30
mides, puis j'ai commandé coup sur coup trois gin and tonic.

Il ne nous restait plus que les quatre kilomètres jusqu'à
Siemréap. La pluie maintenant était douce, une bonne pluie
d'été en Europe. J'ai payé mon conducteur devant l'hôtel;

il avait l'air épuisé. Les escaliers, les corridors étaient vides. Je me suis rapidement changé. La salle à manger était vide. Je suis descendu jusqu'aux cuisines. Oui, on pouvait me servir encore à déjeuner.

5 Impossible de faire laver tout ce linge avant le retour à Paris.

Orly au petit matin. Ma femme et mes filles m'attendaient. Il tombait une petite pluie très froide.

Il pleut.
10 Avec le bruit du gave on croirait une très forte pluie.
Le mur aveugle.
Je pense à l'autre côté de la terre.

MICHEL BUTOR

EXERCICES

Questions spécifiques:

1. Qu'est-ce que c'est qu'un gave?
2. Qu'est-ce que le voyageur avait pu admirer de l'avion au départ de Tokyo?
3. Quelles fleurs Butor avait-il trouvées sur la table du Grand Hôtel d'Angkor à Siemréap?
4. Qu'est-ce c'est qu'un motopousse?
5. Dans quel pays Butor avait-il acquis la certitude d'avoir les jambes immenses? Avez-vous déjà ressenti cette impression lors d'un voyage dans un pays étranger? Expliquez ce sentiment.
6. Quel aspect ont les maisons forestières qui se trouvent aux alentours du temple d'Angkor-Vat?

7. Qu'est-ce qui surmonte la porte triomphale de Ta Som?

8. Qu'est-ce qui devait avoir lieu le soir dans le temple d'Angkor-Vat?

9. De quelle sorte de spectacle Butor fut-il le témoin à l'Auberge Royale des Temples?

10. Que firent l'auteur et le conseiller culturel à l'aérodrome de Phnom-Penh?

11. Qu'est-ce que le conseiller culturel a prêté à Butor avant de partir?

12. Pourquoi dit-il que Ankgor est un lieu fait pour l'auteur?

13. Par quoi est bordée la chaussée triomphale que Butor emprunte après avoir demandé à son guide de l'attendre?

14. Quel temps fait-il au début de cette visite?

15. Qui Butor a-t-il croisé dans sa promenade?

16. Quels sons est-ce que l'enfant, rencontré par Butor, tire de sa flûte?

17. Quelle est la seule statue que Butor ait pu voir dans sa visite de Prah Khan?

18. Que fit l'auteur à Phnom-Penh le lendemain?

19. Où se trouve actuellement le bas-relief qu'André Malraux avait détaché de l'ensemble de Prah Khan?

20. Quelle excursion l'auteur fit-il ce jour-là?

21. Pourquoi Butor éprouve-t-il le besoin de mentionner le tissu dans lequel les draps de son lit sont faits au Grand Hôtel?

22. Quelle est la signification de cette phrase: «C'était comme si, peu à peu, l'architecture devenait poreuse»?

23. Que fait Butor pour tenter de se protéger un peu contre la pluie torrentielle qui assaille les monuments de toutes parts?

24. Quels étaient les seuls refuges au milieu de ce «pilier de pluie» qui «tombait du ciel»?

25. Qu'est-ce que l'auteur pouvait discerner dans le sourire du jeune flûtiste, trempé comme lui?

26. En quoi la voie triomphale était-elle transformée après ce déluge?

27. De quoi le guide avait-il recouvert son motopousse?

28. Qu'est-ce que Butor a commandé pour se réchauffer quand, trempé, il est arrivé à l'Auberge Royale?

Sujets généraux:

1. Expliquez ce que l'auteur veut dire quand il écrit sur Angkor: «Tout est ici composition, préparation, passage, réverbération, résonnance. Tout monument répond à quelque autre, en relie d'autres...»

2. En prenant comme point de repère le passage où Butor évoque sa connaissance du Cambodge avant d'y avoir été, dites ce que représentait pour vous, avant de le visiter, un pays que vous venez de découvrir personnellement.

La Modification

Le passage suivant constitue le premier chapitre de *La Modification,* ouvrage souvent considéré comme le chef-d'œuvre de Michel Butor. Ce qui frappe, dès l'abord, quand on ouvre le livre pour la première fois, c'est l'usage singulier du pronom personnel *vous* remplaçant les deux pronoms *je* ou *il* que les romanciers emploient d'ordinaire pour faire dialoguer leurs personnages. Ainsi, le premier mot du roman est tout à fait significatif: c'est ce *vous* qui semble établir, à l'instant même où le lecteur commence à lire, une complicité entre celui-ci et celui-là.

Et c'est bien cela que Butor veut créer. De passif, le lecteur devient actif et participe lui-même à la genèse du roman. Comme le dit Michel Leiris, commentateur de Butor: «C'est vous-même, lecteur, que le romancier semble mettre poliment en cause et il suffit de quelques brefs coups d'œil jetés sur les lignes imprimées tandis que vous maniez le coupe-papier pour que vous vous sentiez en présence d'une invitation, sinon d'une sommation.»[1] Invitation à nous projeter dans ce roman et à y enfouir pêle-mêle notre propre expérience, nos souvenirs personnels.

Ce premier chapitre, très caractéristique du génie de M. Butor, décrit un départ pour une ville étrangère (Rome), à partir d'une grande gare parisienne, la gare de Lyon. Dans ce long morceau où l'auteur s'efforce d'évoquer pour nous l'atmosphère d'un wagon de chemin de fer français en s'attachant à la description minutieuse des objets qui l'entourent, Butor crée l'atmosphère confinée de la cellule dans laquelle son héros va voyager pendant toute une nuit. Il s'attache à la description des compagnons de voyage de Léon Delmont, présentés non pas tels qu'ils sont mais

1. Michel Leiris, *Le réalisme psychologique de Michel Butor* (Paris: Union générale d'édition, 1962), essai publié dans le même volume que *La Modification,* p. 287.

tels qu'ils apparaissent dans cette espèce de temple de la medita-
tion silencieuse qu'est un wagon de chemin de fer. Tous ces personnages, rassemblés par le destin dans un vase clos, vont vivre
quelques heures communes. Ce seront des minutes tout à fait
particulières et comme n'appartenant pas à leur propre vie. En
effet, dans tout voyage on se trouve comme coupé de son rythme
de vie quotidien.

Que faire sinon penser? Et c'est ce à quoi le héros va occuper
son loisir forcé. Après avoir formé des conjectures sur chacun de
ses compagnons de voyage, Léon Delmont se laisse aller à rêver.
Et ce sont tous ses autres voyages de Paris à Rome, accomplis
pour affaires, qui comme des bulles crèvent à la surface de sa
conscience pour se mélanger avec ce voyage-ci qui a pour but de
ramener son amie romaine à Paris. Butor évoquera ainsi douze
déplacements de Paris à Rome, à l'intérieur desquels Delmont se
remémorera sa vie d'homme marié, ses problèmes conjugaux et
enfin son aventure sentimentale avec Cécile.

Dans le paragraphe qui termine le livre, Léon Delmont arrivé
à Rome fait le bilan de son aventure et résume «la modification»
d'intention qui a été suscitée par le déplacement de son corps. Se
rendant compte enfin que Cécile constituait pour lui le mythe de
Rome et que Rome était devenue le mythe de Cécile, le héros
décide de ne rien changer à son existence, de ne pas ramener son
amie à Paris, milieu dans lequel elle est privée de ce qui fait son
charme, et d'écrire à la place un roman pour désensorceler sa vie
et pouvoir exister à nouveau dans la réalité des choses.

Un Compartiment de chemin de fer français

Vous avez mis le pied gauche sur la rainure de cuivre, et de
votre épaule droite vous essayez en vain de pousser un peu
plus le panneau coulissant.[1]

1. *le panneau coulissant:* the sliding door in the compartment of a
French train.

Vous vous introduisez par l'étroite ouverture en vous
frottant contre ses bords, puis, votre valise couverte de
granuleux cuir sombre couleur d'épaisse bouteille, votre
valise assez petite d'homme habitué aux longs voyages, vous
l'arrachez par sa poignée collante, avec vos doigts qui se   5
sont échauffés, si peu lourde qu'elle soit,[2] de l'avoir portée
jusqu'ici, vous la soulevez et vous sentez vos muscles et vos
tendons se dessiner non seulement dans vos phalanges, dans
votre paume, votre poignet et votre bras, mais dans votre
épaule aussi, dans toute la moitié du dos et dans vos ver-   10
tèbres depuis votre cou jusqu'aux reins.

Non, ce n'est pas seulement l'heure, à peine matinale, qui
est responsable de cette faiblesse inhabituelle, c'est déjà
l'âge qui cherche à vous convaincre de sa domination sur
votre corps, et pourtant, vous venez seulement d'atteindre   15
les quarante-cinq ans.

Vos yeux sont mal ouverts, comme voilés de fumée légère,
vos paupières sensibles et mal lubréfiées, vos tempes crispées,
à la peau tendue et comme raidie en plis minces, vos cheveux,
qui se clairsèment et grisonnent, insensiblement pour autrui   20
mais non pour vous, pour Henriette et pour Cécile, ni même
pour les enfants désormais, sont un peu hérissés et tout votre
corps à l'intérieur de vos habits qui le gênent, le serrent et
lui pèsent, est comme baigné, dans son réveil imparfait, d'une
eau agitée et gazeuse pleine d'animalcules en suspension.   25

Si vous êtes entré dans ce compartiment, c'est que le coin
couloir face à la marche à votre gauche est libre, cette place
même que vous auriez fait demander par Marnal comme à
l'habitude s'il avait été encore temps de retenir, mais non,
que vous auriez demandé vous-même par téléphone, car il ne   30
fallait pas que quelqu'un sût chez Scabelli que c'était vers
Rome que vous vous échappiez pour ces quelques jours.

Un homme à votre droite, son visage à la hauteur de votre
coude, assis en face de cette place où vous allez vous installer

2. *si peu lourde qu'elle soit:* however light it might be.

pour ce voyage, un peu plus jeune que vous, quarante ans
tout au plus,[3] plus grand que vous, pâle, aux cheveux plus
gris que les vôtres, aux yeux clignotants derrière des verres
très grossissants, aux mains longues et agitées, aux ongles
5   rongés et brunis de tabac, aux doigts qui se croisent et se
décroisent nerveusement dans l'impatience du départ, selon
toute vraisemblance le possesseur de cette serviette noire
bourrée de dossiers dont vous apercevez quelques coins
colorés qui s'insinuent par une couture défaite, et de livres
10 sans doute ennuyeux, reliés, au-dessus de lui comme un
emblème, comme une légende qui n'en est pas moins explicative, ou énigmatique,[4] pour être une chose, une possession et
non un mot, posée sur le filet de métal aux trous carrés, et
appuyée sur la paroi du corridor,
15   cet homme vous dévisage, agacé par votre immobilité
debout, ses pieds gênés par vos pieds; il voudrait vous demander de vous asseoir, mais les mots n'atteignent même pas
ses lèvres timides, et il se détourne vers le carreau, écartant
de son index le rideau bleu baissé dans lequel est tissé le
20 sigle SNCF.[5]
         Sur la même banquette que lui, après un intervalle pour
l'instant inoccupé, mais réservé par ce long parapluie au
fourreau de soie noire qui barre la moleskine verte, au-dessous de cette légère mallette gainée de toile écossaise imper-
25 méabilisée, avec deux serrures de mince cuivre éclatant, un
jeune homme qui doit avoir fini son service militaire, blond,
vêtu de tweed gris clair, avec une cravate à raies obliques
rouges et violettes, tient dans sa main droite la gauche d'une
jeune femme plus brune que lui, et joue avec elle, passant et
30 repassant son pouce sur sa paume tandis qu'elle le regarde

---

3. *quarante ans tout au plus:* at the very most forty years old.

4. *une légende qui n'en est pas moins explicative, ou enigmatique:* like
a legend which is none the less self-explanatory or enigmatic.

5. *SNCF:* Société Nationale des Chemins de Fer Français, the state
railroad system of France.

faire, contente, levant un instant les yeux vers vous, et les
baissant vivement en vous voyant les observer, mais sans
cesser.

Ce ne sont pas seulement des amoureux mais de jeunes
époux puisqu'ils ont tous les deux leur anneau d'or, de fraîche   5
date, peut-être en voyage de noces, et qui ont sans doute
acheté pour l'occasion, à moins que cela soit le cadeau d'un
oncle généreux, ces deux grandes valises semblables, flambant neuves,[6] en peau de porc, l'une sur l'autre au-dessus
d'eux, toutes deux agrémentées de ces petits cadres de cuir   10
pour cartes de visite, fixés aux poignées par de minuscules
courroies.

Ils sont les seuls à avoir retenu leurs places dans ce compartiment: leurs fiches brunes et jaunes avec leurs gros nu-
méros noirs [7] sont suspendues immobiles à la barre nickelée.   15

De l'autre côté de la fenêtre, assis seul sur l'autre banquette, un ecclésiastique d'une trentaine d'années, déjà un
peu gras, d'une propreté méticuleuse à l'exception des doigts
de la main droite souillés de nicotine, tente de s'absorber
dans la lecture de son bréviaire truffé d'images, au-dessous   20
d'un porte-documents d'un noir, un peu cendré, d'asphalte,
dont baille en partie la longue fermeture éclair comme la
gueule aux dents très fines d'un serpent marin, posé sur le
filet jusqu'où vous hissez péniblement, tel un dérisoire
athlète de place publique soulevant par son anneau l'énorme   25
poids de fonte creuse, d'une seule main, puisque les doigts
de l'autre sont encore serrés sur le livre que vous venez
d'acheter, vous hissez votre propre bagage, votre propre
valise recouverte de cuir vert bouteille à gros grain avec vos
initiales frappées «L.D.», cadeau de votre famille à votre pré-   30
cédent anniversaire, qui était alors assez élégante, tout à fait

6. *flambant neuves:* spanking new.
7. In France, for a small supplementary fee, a traveler may reserve his
seat, which is then marked by a brown and yellow ticket. In this case, it is
hanging from a nickel-plated bar above the seat.

convenable pour le directeur du bureau parisien des machines à écrire Scabelli, et qui peut encore faire illusion
malgré ces taches grasses qui se révèlent à un examen plus
attentif, et cette sournoise rouille qui commence à ronger les
5 anneaux.

En face de vous, entre l'ecclésiastique et la jeune femme
gracieuse et tendre, à travers la vitre, à travers une autre
vitre, vous apercevez assez indistinctement à l'intérieur d'un
autre wagon de modèle plus ancien aux bancs de bois jaune,
10 aux filets de ficelle, dans la pénombre au-delà des reflets
composés,[8] un homme de la même taille que vous, dont vous
ne sauriez[9] ni préciser l'âge, ni décrire avec exactitude les
vêtements, qui reproduit avec plus de lenteur encore les
gestes fatigués que vous venez d'accomplir.

15 Assis, vous étendez vos jambes de part et d'autre de celles
de cet intellectuel qui a pris un air soulagé et qui arrête enfin
le mouvement de ses doigts, vous déboutonnez votre épais
manteau poilu à doublure de soie changeante, vous en écartez
les pans, découvrant vos deux genoux dans leurs fourreaux de
20 drap bleu marine, dont le pli, repassé d'hier pourtant, est
déjà cassé, vous décroisez et déroulez avec votre main droite
votre écharpe de laine grumeleuse, au tissage lâche, dont les
nodosités jaune paille et nacre vous font penser à des œufs
brouillés, vous la pliez négligemment en trois et vous la four-
25 rez dans cette ample poche où se trouvent déjà un paquet
de gauloises bleues, une boîte d'allumettes et naturellement
des brins de tabac mêlés de poussière accumulés dans la
couture.

Puis, saisissant avec violence la poignée chromée dont le
30 noyau de fer plus sombre apparaît déjà dans une mince déchirure de son placage, vous vous efforcez de fermer la porte

8. *dans la pénombre au-delà des reflets composés:* in the semi-obscurity
beyond the superimposed reflections [in the window of the train].

9. *vous ne sauriez:* «savoir» here is used as a synonym for «pouvoir.»

coulissante, qui, après quelques soubresauts, refuse d'avancer
plus loin, au moment même où apparaît dans le carreau à
votre droite un petit homme au teint très rose, couvert d'un
imperméable noir et coiffé d'un chapeau melon, qui se glisse
dans l'embrasure comme vous tout à l'heure, sans chercher   5
le moins du monde à l'élargir, comme s'il n'était que trop certain que cette serrure, que cette glissière ne fonctionneraient
pas convenablement, s'excusant silencieusement, avec un
mouvement de lèvres et de paupières à peine perceptible, de
vous déranger tandis que vous repliez vos jambes, un Anglais   10
vraisemblablement, le propriétaire sûrement de ce parapluie
noir et soyeux qui raie la moleskine verte,[10] qu'il prend en
effet, qu'il dépose, non point sur le filet mais au-dessous, sur
la mince étagère faite de tringles, ainsi que son couvre-chef,
le seul dans ce compartiment pour l'instant, un peu plus âgé   15
que vous sans doute, son crâne bien plus dégarni que le
vôtre.

A droite, au travers de la vitre fraîche à laquelle s'appuie
votre tempe, et au travers aussi de la fenêtre du corridor à
demi ouverte devant laquelle vient de passer un peu hale-   20
tante une femme à capuchon de nylon, vous retrouvez, se
détachant à peine sur le ciel grisâtre l'horloge du quai où
l'étroite aiguille des secondes poursuit sa ronde saccadée,
marquant exactement huit heures huit, c'est-à-dire deux
pleines minutes de répit encore avant le départ, et sans ces-   25
ser de tenir serré dans votre main gauche le volume que vous
avez acheté presque sans vous arrêter dans la salle des Pas
Perdus,[11] vous fiant à sa collection, sans lire son titre ni le
nom de l'auteur, vous découvrez à votre poignet jusqu'alors
caché sous la triple manche blanche, bleue et grise, de votre   30

10. *qui raie la moleskine verte:* which makes a line across the green
leatherette [of the train seat].
    11. *La salle des Pas Perdus:* the name of the foyer in the Gare de
Lyon, the station from which trains depart for the southeast (Italy, Switzer-
land, etc.).

chemise, de votre veston, de votre manteau, votre montre
rectangulaire fixée par une courroie de cuir pourpre, avec ses
chiffres enduits d'une matière verdâtre qui brille dans la nuit,
qui marque huit heures douze et dont vous corrigez l'avance.

Dehors, une voiture à accumulateurs se fraye un chemin
sinueux[12] parmi la grise foule affairée, encombrée, qui
s'émeut, qui s'embrouille dans ses conciliabules et ses adieux,
tendant l'oreille aux bribes de paroles déformées que déversent les haut-parleurs, puis l'autre train s'ébranle dans le
bruit, ses wagons verts passant les uns après les autres
jusqu'au dernier qui, se retirant comme la frange d'un rideau
de théâtre, ouvre à vos yeux, comme une scène immensément allongée,[13] un autre quai populeux avec une autre
horloge et un autre train immobile qui, lui, ne partira vraisemblablement qu'une fois que le vôtre aura quitté la gare.

Vos paupières, vous avez du mal à les tenir ouvertes,
votre tête à la redresser; vous voudriez vous enfoncer dans
l'encoignure, y creuser avec votre épaule un trou confortable,
mais votre dos se tord en vain, puis il est pris par la secousse
et le remuement.

L'espace extérieur s'agrandit brusquement; c'est une
locomotive minuscule qui s'approche et qui disparaît sur un
sol zébré d'aiguillages; votre regard n'a pu la suivre qu'un
instant comme le dos lépreux de ces grands immeubles que
vous connaissez si bien, ces poutrelles de fer qui se croisent,
ce grand pont sur lequel s'engage un camion de laitier, ces
signaux, ces caténaires, leurs poteaux et leurs bifurcations,
cette rue que vous apercevez dans l'enfilade avec un bi-
cycliste qui vire à l'angle, celle-ci qui suit la voie n'en étant
séparée que par cette fragile palissade et cette étroite bande

12. *une voiture . . . chemin sinueux:* a battery-driven cart winds its
way through.

13. *comme une scène immensément allongée:* Butor compares the in-
terior of the railroad station to a theater: the other train moving down the
track reminds him of the curtain being slowly opened on a stage.

d'herbe hirsute et fanée, ce café dont le rideau de fer se
relève, ce coiffeur qui possède encore comme enseigne une
queue de cheval pendue à une boule dorée,[14] cette épicerie
aux grosses lettres peintes de carmin, cette première gare de
banlieue avec son peuple en attente d'un autre train, ces   5
grands donjons de fer où l'on thésaurise le gaz,[15] ces ateliers
aux vitres peintes en bleu, cette grande cheminée lézardée,
cette réserve de vieux pneus, ces petits jardins avec leurs
échalas et leurs cabanes, ces petites villas de meulière dans
leurs enclos avec leurs antennes de télévision.   10

La hauteur des maisons diminue, le désordre de leur disposition s'accentue, les accrocs dans le tissu urbain se multiplient, les buissons au bord de la route, les arbres qui se dé-
pouillent de leurs feuilles, les premières plaques de boue, les
premiers morceaux de campagne déjà presque plus verte   15
sous le ciel bas, devant la ligne de collines qui se devine à
l'horizon avec ses bois.

Ici, dans ce compartiment, bercés et malmenés par le
bruit soutenu, par sa profonde vibration constante soulignée
irrégulièrement de stridences et d'hululations en touffes   20
épineuses, les quatre visages en face de vous se balancent
ensemble sans dire un mot, sans faire un geste, tandis que
l'ecclésiastique de l'autre côté de la fenêtre, avec un léger
soupir d'exaspération, referme son bréviaire relié de cuir
noir souple, tout en gardant son index entre les pages à   25
tranche dorée comme signet, laissant flotter le mince ruban
de soie blanche.

Soudain tous les regards se tournent vers la porte que
d'un seul coup d'épaule, sans apparence d'effort, ouvre en
grand un homme rougeaud, essoufflé, qui a dû monter dans   30

14. *une queue de cheval pendue à une boule dorée:* In France, a sign
with a horse's tail hanging from a gilded ball traditionally designated a
barber shop.

15. *ces grands donjons de fer où l'on thésaurise le gaz:* these long iron
keeps where they hoard the gas (i.e., gasometers).

le wagon juste au moment où le train s'ébranlait, qui lance
dans le filet une valise bombée, un paquet grossièrement
sphérique enveloppé dans un journal et maintenu par une
ficelle dépenaillée, puis s'asseoit à côté de vous, débouton-
nant son imperméable, croisant sa jambe droite sur sa
gauche, et tirant de sa poche un hebdomadaire de cinéma à
couverture en couleurs dont il se met à examiner les images.

Son profil épais vous masque celui de l'ecclésiastique
dont vous ne voyez plus que la main posée sur l'appui de la
fenêtre, les doigts tremblant à cause du mouvement général,
l'index frappant doucement, machinalement, silencieusement au milieu du bruit, la longue plaque de métal vissée sur
laquelle s'étale, vous le savez (puisque vous ne pouvez pas
vraiment la lire, que vous pouvez seulement deviner à peu
près une à une quelles sont ces lettres horizontales qui vous
apparaissent si écrasées, si déformées par la perspective),
l'inscription bilingue: «Il est dangereux de se pencher au
dehors—E pericoloso sporgersi.»

Balayant vivement de leur raie noire toute l'étendue de
la vitre, se succèdent sans interruption les poteaux de ciment ou de fer; montent, s'écartent, redescendent, reviennent, s'entrecroisent, se multiplient, se réunissent, rythmés
par leurs isolateurs, les fils téléphoniques semblables à une
complexe portée musicale, non point chargée de notes, mais
indiquant les sons et leurs mariages par le simple jeu de ses
lignes.

Un peu plus loin, un peu plus lente, la masse des bois de
moins en moins interrompue de villages ou de maisons,
tourne sur elle-même, s'entrouvre en une allée, se replie
comme se masquant derrière un de ses membres.

C'est une véritable forêt que le train longe, non, traverse,
puisqu'au-delà de ce carreau où s'appuie toujours votre
tempe, de l'autre côté du corridor vide maintenant et de ses
vitres dont vous apercevez la succession jusqu'à l'extrémité

du wagon, c'est le même spectacle de futaie broussailleuse et terne qui va s'épaississant.[16]

La voie ferrée y creuse une tranchée qui se resserre de telle sorte que vous ne voyez plus du tout le ciel, que le sol même se relève en de hauts remblais de terre nue ou de maçonnerie sur laquelle un instant, juste le temps de les reconnaître, se peignent en rouge sur un rectangle blanc les grandes lettres que vous attendiez certes mais peut-être pas aussi tôt, que vous avez lues maintes fois, que vous guettez à chaque passage pourvu qu'il fasse jour, parce qu'elles vous indiquent soit que l'arrivée est prochaine soit que le voyage est vraiment commencé.

Passe la gare de Fontainebleau-Avon. De l'autre côté du corridor, une onze chevaux noire[17] s'arrête devant la mairie.

Si vous aviez peur de le manquer, ce train au mouvement et au bruit duquel vous êtes maintenant déjà réhabitué, ce n'est pas que vous vous soyez réveillé ce matin plus tard que vous l'aviez prévu, puisque, bien au contraire, votre premier mouvement, comme vous ouvriez les yeux, ç'a été d'étendre le bras pour empêcher que ne se déclenche la sonnerie, tandis que l'aube commençait à sculpter les draps en désordre de votre lit, les draps qui émergeaient de l'obscurité semblables à des fantômes vaincus, écrasés au ras de ce sol mou et chaud dont vous cherchiez à vous arracher.

Tournant vos yeux vers la fenêtre, vous avez vu les cheveux autrefois noirs d'Henriette, et son dos se détachant devant la première lumière terne et décourageante, doucement, brusquement au travers de sa chemise de nuit blanche un peu transparente, se dessinant de plus en plus à mesure

16. *qui va s'épaississant:* which is rapidly getting thicker. This use of the progressive, which is rare in French, appears here as a special stylistic device.

17. *une onze chevaux noire:* a classic model of the Citroën automobile.

qu'elle écartait et repliait bruyamment les volets de fer [18]
aux fentes chargées de la poussière cotonneuse et charbon-
neuse de la ville, avec ici et là quelques points de rouille
comme du sang coagulé.

5   Une masse d'air frais râpeux s'est répandue dans toute la
pièce, frôlant vos narines, et comme les six carreaux apparais-
saient maintenant tout entiers, frileuse, resserrant avec sa
main droite son col orné d'une piètre dentelle inutile sur sa
poitrine affaissée, elle est allée ouvrir la porte de l'armoire à
10 glace Louis-Philippe, faisant virer d'un seul coup la réflexion
du plafond et de ses moulures, de cette lézarde s'accentuant
de mois en mois que vous auriez dû depuis longtemps faire
colmater et disparaître (sous cet éclairage diffus mais parci-
monieux, comme tamisé par une quantité de lamelles d'ar-
15 doise indéfiniment délitées, l'acajou lui-même apparaissait
presque sans couleur; seul un reflet de cuivre plus roux que
rouge à l'angle de la moulure tremblotait), pour y chercher
parmi tous ces vêtements pendus à leurs cintres, aux manches
tombant toutes droites et sans épaisseur, comme si elles habil-
20 laient les bras raides et filiformes des ombres impitoyablement ironiques dans leur silence et leurs balancements des
précédentes femmes de Barbe-Bleue, sa robe de chambre à
grands carreaux gris et jaunâtres qu'elle a enfilée, découvrant son aisselle en levant son bras nu, dont elle a noué ner-
25 veusement le cordon soyeux, et qui lui donnait un air de
malade avec ses traits tirés, soucieux, soupçonneux.

    Certes, il n'y avait pas de douceur dans son regard à ce
moment-là, mais qu'avait-elle aussi besoin de se lever alors
que vous auriez fort bien su vous débrouiller tout seul
30 comme cela était entendu,[19] comme vous l'aviez fait maintes
fois tandis qu'elle était en vacances avec les enfants, inca-

18. *se dessinant . . . volets de fer:* [her back] outlining itself even
more clearly as she noisily opened up and folded the iron shutters [of the
windows of the apartment].

19. *comme cela était entendu:* as that had been agreed upon.

pable lorsqu'elle est là de vous faire confiance pour ces détails, s'imaginant toujours vous être nécessaire et voulant vous en persuader...

Vous avez attendu qu'elle ait quitté la chambre, refermant la porte derrière elle doucement afin de ne pas éveiller   5
les garçons dormant à côté, pour attacher à votre poignet votre montre (il était à peine plus de six heures et demie), pour vous asseoir sur votre lit, glisser vos pieds dans vos pantoufles, et vous gratter la tête en regardant vaguement à travers les vitres la coupole du Panthéon [20] se détachant à   10
peine sur le ciel gris, tout en vous interrogeant sur les expressions de votre femme, vous demandant non pas, évidemment, si elle se doutait de [21] quelque chose, ceci n'étant que trop certain, mais de quoi au juste, et, notamment en ce qui concernait ce voyage, jusqu'à quel point exactement elle vous   15
avait démasqué.

Bien sûr, cela vous a fait plaisir de le boire, ce café au lait qu'elle vous avait fait chauffer, mais il était bien inutile, elle le savait, puisque de toute façon vous aviez l'intention de profiter du wagon-restaurant pour prendre un petit déjeuner.   20

Sur le palier, vous n'avez pas osé lui refuser son baiser triste.

«Tu as juste le temps maintenant; il est vrai qu'en première tu auras toujours de la place.»

Comment savait-elle que cette fois vous n'aviez pu faire   25
de location? [22] Etait-ce vraiment vous qui le lui aviez dit et pourquoi? Quoi qu'il en soit, il est une chose qu'elle ignore, cela est certain, c'est dans quelle sorte de wagon vous êtes, c'est que ce déplacement-ci, bien loin qu'il vous soit de-

20. *le Panthéon:* Built in the eighteenth century as a church, this major Paris monument was converted during the French Revolution into a national shrine. In it are buried some of the greatest men in French history, including Pasteur, Hugo, Voltaire, and Rousseau.

21. *se douter de:* to suspect.

22. *vous n'aviez pu faire de location:* you weren't able to reserve a seat.

mandé et remboursé par la maison Scabelli, vous le faites à l'insu de [23] vos directeurs romains et de vos propres employés à Paris.

Elle a refermé la porte de votre appartement avant que
5   vous ayez commencé à descendre les marches, perdant ainsi sa dernière occasion de vous attendrir, mais il est clair qu'elle ne le cherchait nullement, que si elle s'est levée ce matin pour vous servir, c'est simplement par la mécanique de l'habitude, par une certaine pitié au plus, toute colorée de
10   mépris, il est clair que des deux c'est elle la plus lasse. Pourquoi voudriez-vous lui reprocher de ne vous avoir même pas regardé partir après ces quelques mots qui étaient peut-être un sarcasme et auxquels vous n'avez rien su ni rien voulu répondre, alors que le mieux pour vous deux, n'est-ce pas,
15   ç'aurait été qu'elle ne se levât point du tout, qu'elle n'ouvrît même pas les yeux, la quitter pendant son sommeil, pendant qu'elle soulevait les draps de sa profonde respiration de dormeuse, à peine distincte dans la chambre obscure dont vous auriez laissé les volets fermés.

20   Si vous avez eu peur de le manquer, ce train qui roule régulièrement parmi les champs nus et les taillis bruns, c'est parce qu'il vous a fallu beaucoup plus de temps que vous ne l'aviez prévu pour trouver un taxi, c'est qu'il a fallu que vous descendiez toute la rue Soufflot [24] avec votre valise à la main
25   et que ce n'est qu'au coin du boulevard Saint-Michel, devant le café Mahieu, que vous avez enfin pu arrêter, après plusieurs tentatives infructueuses, une onze chevaux dont le chauffeur n'a même pas pris la peine de vous ouvrir la portière ou de vous aider à installer votre minime bagage, ce qui
30   vous a donné l'impression absurde qu'il voyait sur votre visage que cette fois vous alliez voyager en troisième classe et

<hr/>

23. *á l'insu de:* without the knowledge of.
24. *la rue Soufflot:* the major artery leading from the Place du Panthéon to the Boulevard St. Michel (the principal business street of the Latin Quarter).

non en première comme à l'habitude, et ce qu'il y avait de
particulièrement gênant, c'était que soudain vous vous ren-
diez compte que vous réagissiez comme si vous aviez vu là
quelque chose de déshonorant, déroutants dérèglements de
la pensée matinale encore tout encombrée de demi-rêves   5
épais.

Carré dans le coin droit [25] comme vous êtes maintenant,
vous avez vu passer les troncs des arbres sur les trottoirs encore déserts, devant les magasins encore tous fermés, l'église
de la Sorbonne [26] et sa place encore vide, ces ruines que l'on   10
nomme les thermes de Julien l'Apostat [27] bien qu'ils soient
vraisemblablement plus anciens que cet empereur, la Halle
aux Vins,[28] les grilles du Jardin des Plantes,[29] à gauche le
chevet de la cathédrale dans son île [30] au-dessus du parapet
du pont d'Austerlitz, au milieu des autres clochers, à droite   15
le beffroi de la gare avec son horloge marquant huit heures.

Au moment où vous demandiez à l'employé qui vous
poinçonnait le billet que vous veniez d'acheter au guichet
des relations internationales quel était le quai où vous deviez
vous rendre, vous vous êtes aperçu qu'il était presque en face   20
de vous, avec son cadran à l'entrée aux aiguilles immobiles
marquant non point l'heure qu'il était mais celle où le train
devait partir, huit heures dix, et la pancarte indiquant les

25. *carré dans le coin droit:* back in the right-hand corner.

26. *l'église de la Sorbonne:* the chapel of the Sorbonne, constructed in
the seventeenth century by Cardinal Richelieu, is the most notable monument in the group of buildings that comprise the Sorbonne.

27. *les thermes de Julien l'Apostat:* Further down, on the Boulevard
St. Michel, the hero passes the garden surrounding the medieval museum
of Cluny, on the grounds of which are located the ruins of the bath house
of Julian the Apostate, a Roman emperor of the fourth century A.D.

28. *la Halle aux Vins:* the central wine market, situated on the left
bank of the Seine.

29. *le Jardin des Plantes:* a botanical garden which includes a museum
of natural history and a small zoo.

30. *le chevet de la cathédrale dans son île:* the apse of the cathedral of
Notre Dame on the Ile de la Cité.

principaux arrêts de cette liste que vous connaissez par
cœur: La Roche, Dijon, Chalon, Mâcon, Bourg, Culoz, Aix-
les-Bains, Chambéry, Modane, Turin, Gênes,[31] Pise, Roma-
Termini, et plus loin encore (celui-ci va plus loin encore),
5   Napoli, Reggio, Syracuse, et vous avez profité des quelques
instants qui vous restaient encore pour acheter sans le choisir
le livre qui depuis n'a pas quitté votre main gauche, ainsi que
le paquet de cigarettes encore intact qui se trouve dans la
poche de votre manteau, sous votre écharpe.

10   De l'autre côté du corridor, une onze chevaux noire dé-
marre devant une église, suit une route qui longe la voie,
rivalise avec vous de vitesse, se rapproche, s'éloigne, disparaît derrière un bois, reparaît, traverse un petit fleuve avec
ses saules et une barque abandonnée, se laisse distancer,
15   rattrape le chemin perdu, puis s'arrête à un carrefour, tourne
et s'enfuit vers un village dont le clocher bientôt s'efface
derrière un repli de terrain. Passe la gare de Montereau.

Un tintement transperce le grondement et vous voyez
venir vers vous l'employé du wagon-restaurant avec sa
20   casquette bleue à broderies d'or et sa veste blanche, que
vous n'êtes pas le seul à avoir attendu puisque le jeune couple
a levé les yeux, qu'ils se regardent maintenant, qu'ils se
sourient.

Un homme, une femme, une autre femme dont vous
25   n'apercevez que le dos sortent de leurs compartiments et
s'éloignent; une manche d'imperméable balaie le carreau
auquel votre tempe s'appuie toujours, puis un volumineux
sac à main de nylon noir avec un bouton de galalithe y frappe
quelques coups.

30   La température s'est sensiblement élevée et vous sentez
chauffer cet étroit tapis de métal entre les banquettes, dé-
coré de rayures en losanges. Votre voisin, le dernier venu,

31. *Gênes:* the French word for Genoa, Italy.

le moins riche manifestement de tous les occupants de ce compartiment, replie l'hebdomadaire qu'il lisait, hésite un instant, ne sachant pas où le poser, se lève, le case sur l'étagère où il s'épanouit come un éventail, enlève son imperméable qu'il envoie brutalement, chiffonné, de sa grosse main qui le serre comme un torchon essuie-voitures, entre son paquet enveloppé de journal et votre valise sur le filet (la boucle de corne tape sur le métal puis se balance au bout de la ceinture qui pend), reprend ses feuilles, les déplie et se rasseoit.

Cette photographie, de quelle actrice célèbre-t-elle le mariage, et le quantième? [32]

Le tintement revenant vous fait retourner les yeux vers la droite et vous suivez quelques instants la veste blanche de l'employé qui retourne vers son wagon pour verser dans les tasses, bleu pâle comme un ciel de printemps incertain sur une ville de Nord, un café médiocre et cher.

La jeune femme qui s'est décidée la première, puis son époux, s'excusent en passant devant vous, rougissant, souriant tous deux, comme si c'était leur premier voyage, tout, les moindres incidents, leur étant plaisir et merveille, referment à demi la portière qui était restée grande ouverte depuis tout à l'heure, puis se hâtent.

Celui qui est en face de vous relève le rideau à son côté.

Allez-y vous aussi; ce livre qui vous embarrasse,[33] enfoncez-le dans votre poche et quittez ce compartiment; ce n'est pas que vous ayez vraiment faim puisque vous avez déjà bu un café tout à l'heure; ce n'est même pas seulement la routine puisque vous êtes dans un autre train que celui dont vous avez l'habitude, puisque vous subissez un autre horaire, non, cela fait partie de vos décisions, c'est le mécanisme que

32. *et le quantième:* and which one [in the series of marriages]?
33. *qui vous embarrasse:* which gets in your way.

vous avez remonté vous-même qui commence à se dérouler
presqu à votre insu. . . .

Ce train qui est parti comme il part tous les jours à huit
heures dix de Paris-Lyon, qui comporte un wagon-restaurant
5   comme l'indique cette petite fourchette et ce petit couteau
entrecroisés, ce wagon-restaurant même que vous venez
déjà d'utiliser ainsi que les deux jeunes époux, et où vous
retournerez déjeuner mais non dîner parce qu'à ce moment-
là c'en sera un autre, italien, il s'arrêtera à Dijon et en repar-
10   tira à onze heures dix-huit, il passera à Bourg à treize heures
deux, quittera Aix-les-Bains à quatorze heures quarante et
une (il y aura vraisemblablement de la neige sur les montagnes autour du lac), s'arrêtera vingt-trois minutes à Chambéry pour assurer une correspondance,[34] et au passage de la
15   frontière depuis seize heures vingt-huit jusqu'à dix-sept
heures dix-huit pour les formalités (cette petite maison après
le mot Modane, c'est le hiéroglyphe qui signifie douane), il
arrivera à Turin Piazza Nazionale à dix-neuf heures vingt-six
(oh, ce sera la nuit déjà depuis longtemps), en repartira à
20   vingt heures cinq, quittera la station Piazza Principe à Gênes
à vingt-deux heures trente-neuf, atteindra Pise à une heure
quinze, et Roma-Termini enfin demain matin à cinq heures
quarante-cinq, bien avant l'aube, ce train presque inconnu
pour vous, puisque d'habitude c'est toujours l'autre que vous
25   prenez, celui de la colonne d'à côté,[35] le rapide [36] numéro 7,
le Rome-express à wagon-lits, qui n'a que des premières et
des secondes, qui est tellement plus rapide, puisqu'il ne met
que dix-huit heures quarante pour faire le trajet, alors que
celui-ci, voyons, celui-ci met vingt et une heures trente-cinq,
30   ce qui fait, voyons, ce qui fait deux heures cinquante de différence, et dont l'horaire est tellement plus commode, par-

34. *une correspondance:* a connecting train.
35. *celui de la colonne d'à côté:* the train referred to in the next column
[in the schedule].
36. *le rapide:* the express train.

tant au moment du dîner pour arriver au début de l'après-
midi suivante.

Ce train dans lequel vous êtes, pour chercher de plus
amples renseignements sur lui (l'autre, l'habituel, le Rome-
express, vous en connaissez l'horaire presque par cœur, et   5
lorsque vous l'utilisez vous n'avez nul besoin de ce livret
carré dans lequel, malgré votre expérience, vous avez tant
de mal à vous reconnaître), il faudrait vous reporter au
tableau 500 dans lequel l'itinéraire est beaucoup plus dé-
taillé, faisant mention de toutes les stations, même de celles   10
que l'on brûle,[37] puis, à partir de Mâcon, où l'on quitte la
grande artère Paris-Marseille, au tableau 530, mais après
Modane il vous faudrait un indicateur italien, car dans celui-
ci il n'y a rien d'autre que cette page avec les étapes principales: Turin, Gênes, Pise, alors qu'il y aura sûrement quel-   15
ques autres arrêts, à Livourne vraisemblablement, peut-être
à Civitavécchia.

Il fera encore nuit noire. Vous vous réveillerez péniblement après un sommeil souvent interrompu, surtout si vous
êtes obligé de conserver cette mauvaise place au milieu de la   20
banquette, mais il y a tout de même d'assez fortes chances
pour que vous réussissiez à prendre possession de l'un des
coins au moment où l'un de vos compagnons actuels des-
cendra, car il est impossible que tous continuent jusque-là.

Lesquels, parmi eux six, seront encore à ce moment dans   25
ce compartiment vraisemblablement éclairé seulement par
la veilleuse bleue, par cette petite ampoule sphérique et
sombre que vous apercevez à l'intérieur du lampadaire,
nichée entre les deux autres transparentes et piriformes.
Dans la campagne, les lumières des maisons seront éteintes.   30
Vous verrez passer les phares de quelques camions, les lan-
ternes des gares; vous aurez froid; vous passerez votre main

    37. *même de celles que l'on brûle:* even those [stations] through which
one passes without stopping.

sur votre menton bien plus râpeux que maintenant; vous
vous lèverez, vous sortirez, vous irez jusqu'au bout du couloir
pour vous mettre un peu d'eau sur les yeux.

Alors, après la raffinerie de pétrole avec sa flamme et les
ampoules qui décorent comme un arbre de Noël ses hautes
tours d'aluminium, tandis que vous ferez presque tout le tour
de la ville encore obscure et endormie mais où les tramways
et les trolleybus auront commencé leur tintamarre, défile-
ront pour vous ses stations de banlieue: Roma-Trastevere
(et vous apercevrez quelques reflets dans l'eau noire du
fleuve), Roma-Ostiense (vous devinerez les remparts et la
pointe claire de la pyramide), Roma-Tuscolana (alors, à partir de la porte Majeure, vous pénétrerez droit vers le centre).

Enfin ce sera Roma-Termini, la gare transparente,[38] dans
laquelle il est si beau d'arriver à l'aube ainsi que le permet ce
train dans une autre saison, mais demain il fera encore nuit
noire. . . .

Le train s'est arrêté; vous êtes à Rome dans la moderne
Stazione Termini. Il fait encore nuit noire.

Vous êtes seul dans le compartiment avec les deux jeunes
époux qui ne descendent pas ici, qui s'en vont jusqu'à
Syracuse.

Vous entendez les cris des porteurs, les sifflets, les halètements, les crissements des autres trains.

Vous vous levez, remettez votre manteau, prenez votre
valise, ramassez votre livre.

Le mieux, sans doute, serait de conserver à ces deux villes
leurs relations géographiques réelles.

et de tenter de faire revivre sur le mode de la lecture cet
épisode crucial de votre aventure, le mouvement qui s'est
produit dans votre esprit accompagnant le déplacement de

---

38. *la gare transparente:* The Rome station is constructed largely of
glass.

votre corps d'une gare à l'autre à travers tous les paysages intermédiaires,

vers ce livre futur et nécessaire dont vous tenez la forme dans votre main.

Le couloir est vide. Vous regardez la foule sur le quai. Vous quittez le compartiment.

EXERCICES

Questions spécifiques:

1. Comment sait-on que le voyageur dont il s'agit dans cet extrait n'est plus très jeune? Quel âge a-t-il?
2. Quelle place préfère-t-il occuper dans le compartiment quand il fait le voyage de Paris à Rome pour affaires?
3. Quelle description pouvez-vous donner de l'homme à la serviette noire qui se trouve dans le compartiment avec lui?
4. A qui appartient le parapluie qui garde une des places de la banquette?
5. Quelles suppositions notre héros fait-il au sujet des liens de parenté qui unissent le jeune couple placé devant lui?
6. En quelles circonstances le héros avait-il reçu sa valise élégante?
7. Quelle profession exerce-t-il?
8. Quel genre de vêtement porte-t-il pour voyager ce jour-là?
9. L'heure que la montre du voyageur indique coïncide-t-elle avec celle de l'horloge du quai?
10. Quelle vue Léon Delmont a-t-il de la fenêtre du wagon avant son départ de la gare?
11. Quelles sont quelques-unes des visions qui ont passé devant lui une fois que le train a quitté la gare?
12. A quels détails du paysage perçoit-on que le train est sorti de la ville de Paris?

13. Que fait le voyageur à l'imperméable pour se distraire pen-
    dant les premiers instants du voyage?
14. Comment Léon Delmont s'est-il réveillé le jour où il est parti
    pour Rome? A quelle heure s'est-il levé?
15. Quelle est votre impression première sur l'entente du héros
    et de sa femme Henriette, d'après les quelques allusions qui
    transpirent dans les réminiscences de celui-ci?
16. Pourquoi a-t-il fallu au voyageur plus de temps que d'habi-
    tude pour se rendre de chez lui à la gare?
17. Quels sont les monuments parisiens que le voyageur a vu
    passer en allant de la Place du Panthéon à la Gare de Lyon?
18. Pourquoi ne prend-il pas de billet de première classe, comme
    c'était son habitude?
19. Qu'a-t-il acheté avant de monter dans le train?
20. D'où vient ce tintement de cloche qui a fait lever les yeux
    au jeune couple assis devant lui?
21. Où va le héros quand il se lève, comme obéissant à une sorte
    de mécanisme?
22. Comment se fait-il que notre voyageur connaisse si bien les
    différentes stations et les horaires du voyage Paris-Rome?
23. Quand le train arrive à Rome il ne reste plus que trois per-
    sonnes dans le compartiment. Qui sont ces gens?
24. Quelles sortes de bruits entend-on dans la Gare de Rome?
25. En descendant du train quels sont les trois objets que notre
    voyageur prend avec lui?

Sujets généraux:

1. Expliquez la façon dont Michel Butor a su faire de son héros
   un symbole de l'humanité moyenne, une sorte de Monsieur
   Tout le Monde.
2. Dans quelle sorte de wagon de chemin de fer préféreriez-
   vous voyager? Dans un wagon à l'européenne, divisé en
   compartiments fermés de huit places ouvrant sur un couloir
   occupant toute la longueur du wagon, ou bien dans un train
   aménagé à l'américaine? Expliquez la raison de votre choix.

3. Faites une analyse des temps dont Butor se sert dans le passage reproduit ici. Aidez-vous du passage de *Répertoire II*, p. 87, et des explications données dans l'introduction qui le précède.

Thème d'imitation

The hero got on the train which was to leave at 8:10 in the morning. Selecting his compartment, he placed a book on one of the seats near the window. Then he looked out of the window and noticed that the clock on the platform showed that he still had some twenty minutes to wait. He spent the time looking at the various people who were passing through the corridor, each looking for a good compartment in which to sit. Then he glanced at the timetable and noticed in it a tiny fork crossed by a tiny knife which indicated that this train included a dining car. He would probably have his breakfast there, but not his dinner. He knew that the train would stop in Dijon at 11:18, then pass through Bourg at 1:02 p.m. (13:02), then through Aix-les-Bains at 2:40 p.m. (14:40), later through Chambéry, and finally cross the border into Italy at about 5:18 p.m. (17:18) before stopping at a number of Italian cities. As he was thinking of the trip which he was about to take, he suddenly realized that six people, including himself, had entered and sat down in the compartment: the group included a young newlywed couple, a man of about forty with a black briefcase, another holding an umbrella of black silk, a thirty-year-old priest, and a little man with a dark raincoat. After examining the passengers who were going to share his compartment, he began to reflect about the way in which he had awakened that morning and in which he had tried to leave the house without disturbing his wife, Henriette. But having heard him moving about, she had gotten up to make him a cup of coffee, which he quickly drank. He kissed her without great affection and went downstairs to get a cab which would take him to the station. As the train began very gradually to move out of the station, he imagined his arrival in Rome the next day. He could see himself wearily getting up, taking his coat, his suitcase, and his book, walking down the empty corridor, and descending onto the platform in the midst of the porters' cries and the many noises of the train.

Vocabulary

abêtissement becoming stupid

abîme *m.* **—de l'enquête** endless quest for knowledge

aborder to approach, introduce, broach; **—un problème** to take up a problem

aboutir (à) to lead to; to end up in

abri *m.* **à l'—de** protected from

abriter to protect

acajou *m.* mahogany

accablé l'air— a look of being overburdened with grief and/or fatigue

accalmie *f.* lull, calm (*of the sea*)

accorder to grant, give; **s'accorder à** to agree in, be in agreement in

accoucheur *m.* obstetrician; (*fig.*) someone who gives life

s'accouder to lean, rest one's elbows

accroc *m.* tear, rip

accrocher —un sens to attach a meaning; **s'—à** to cling to

accroupi crouching, squatting

accumulateurs *m. pl.* battery (*of a car*)

âcre bitter

actuel,-elle present-day, contemporary

(s')adjoindre to join in; to associate oneself

admettre to let in; to admit

(s')affairer to bustle about

affaissé sagging

affalé slumped

affreux, -euse horrible

agacer to annoy

agencement *m.* arrangement

agglomérat *m.* conglomerate

(s')agglomérer to collect in a mass

(s')agir (de) to be a question of, to concern

agrandir to enlarge; **s'agrandir** to grow larger

agrément *m.* pleasantness

agrémenter to adorn

aigu,-uë acute; penetrating; poignant

aiguille *f.* hand (*of a clock*); needle

aiguillage *m.* railroad switch

aisselle *f.* armpit

alentour around

alentours *m. pl.* vicinity, surroundings

aliment *m.* nourishment

allée *f.* avenue (*through woods, etc.*)

aller: cela va de soi this goes without saying

alliance *f.* wedding band; **par—** through marriage

allonger to stretch out

aloi *m.* alloy; value

allure *f.* aspect, look

(s')alourdir to grow heavy

amener (à) to lead to

amer bitter, sharp

(s')amincir to thin out

amphithéâtre *m.* lecture hall

ampoule *f.* blister; light bulb

âne *m.* donkey, ass

anneau *m.* wedding band; ring

anomalie *f.* irregularity

antan yesteryear

apercevoir to catch a glimpse of; to notice

aplanir to smooth out

appareil *m.* apparatus

appartenir (à) to belong to

appréhender to fear

165

(s')apprêter (à) to prepare to
apprivoisé tamed
approprié suitable, fitting
appui *m.* support; window sill
appuyer to prop up; to press; s'—à to lean on; to press against
âpre rough, harsh
arbrisseau *m.* shrub, small tree
architrave *f.* architrave (*architectural term for a kind of beam which rests on the columns of Greek temples and supports the ceiling*)
ardoise *f.* slate
armoire *f.* wardrobe
arracher to snatch away; to pick up with difficulty
(s')arranger (pour que) to work things so that
arrêt *m.* stop
arrière *m.* rear, back
arriver (à) to succeed in
(s')arrondir to become round
artère *f.* thoroughfare
assaillir to assail
assister (à) to be present at; to take part in
assumer to accept (the responsibility of)
astiqué polished
atelier *m.* workshop
(s')attarder to linger, tarry
attendre to wait for; to expect; salle d'attente waiting room
attendrir to soften; to touch
atterrir to land
aube *f.* dawn
au delà (de) past, beyond
au-dessus (de) above
aumône *f.* alm
auparavant before, previously
autrui others, other people
avaler to swallow
(en) avant ahead, forward
avant-coureur *m.* forerunner

averse *f.* sudden shower
avertir to warn; to inform
aveu *m.* avowal, vow
aveugle blind
avilissement *m.* degradation, debasement
avoir —le dessus to have the upper hand; —affaire à to deal with
axe *m.* axis

bafouillé stammered
bague *f.* ring
bâiller to yawn; to gape
baisser to lower; to drop
(se) balancer to swing back and forth
balayer to sweep
balisé furnished with ground lights
banlieue *f.* suburbs, outskirts
banquette *f.* seat, bench (*in a train*)
barda *m.* (*fam.*) luggage
barrer to block; to cross
barrière *f.* gate; —de passage à niveau railroad gate that prevents cars from crossing tracks
barque *f.* small boat
bas-relief *m.* low relief
baume *m.* balm, salve
beau avoir—voir to see to no avail, see in vain
beffroi *m.* belfry
bercer to lull; to rock
bétail *m.* livestock; cattle
béton *m.* concrete
beuglement *m.* lowing; bellowing
bifurcation *f.* junction; branch
blafard bleak
blanchâtre whitish
blessure *f.* wound
bleu marine navy blue
bois *m.* sous— underbrush
bombé bulging
bonze *m.* Buddhist priest

bord *m.* margin; edge, border
boude *f.* buckle
boue *f.* mire; mud; **boueux, -euse** muddy
boule *f.* ball
boulet round briquette (*coal*)
bouleverser to overwhelm
bouquin *m.* old book; second-hand book
bourdonner to hum, buzz
bourré crammed with, stuffed with
boursoufflé puffed up, swollen
bousculade *f.* crush, jostling
boussole *f.* compass
bouffant puffed out, very full
bout *m.* **—de ficelle** piece of string
bouteille *f.* bottle
braiment *m.* braying
brasserie *f.* restaurant and beer-house
bréviaire *m.* breviary
bribe *f.* bit; **bribes** *f. pl.* smattering, snatches
briller to glisten, sparkle
brin *m.* small piece, bit
(se) briser to break
broc *m.* pitcher
broderie *f.* **d'or** gold lace
brouillard *m.* fog
brouillé blurred; **œufs brouillés** scrambled eggs
broussaille *f.* brushwood
broussailleux, -euse scrubby, bushy
brousse *f.* bush, brush; wilderness
bruine *f.* drizzle; **—de Babel** hum of many voices speaking in different languages simultaneously
bruiner to drizzle
bruissement *m.* flutter; resulting; murmuring
brunâtre brownish
brûler to burn; **—une station** to skip a station

brume *f.* mist
bruni darkened
buffle *m.* buffalo
buisson *m.* thicket, bush
butte *f.* mound, hillock

cabane *f.* hut; woodshed
cabinet noir *m.* darkroom
cadran *m.* dial, face (*of a clock*)
cadre *m.* frame
cahot *m.* jolt, bump
cahoter to bump along
caisse *f.* box, crate
calvaire *m.* calvary
camion *m.* truck
canne *f.* cane
capuchon *m.* hood
car *m.* (chartered or interurban) bus
carapace *f.* shell, carapace
carié decayed (*of teeth*)
carmin *m.* carmine; (*adj. invar.*) crimson, color of carmine
carreau *m.* window pane; **—de communication** glass divider in a car which separates the passenger from the driver; **à carreaux** checkered
carrefour crossroad; crossing
(se) carrer to settle comfortably
carte *f.* **—de visite** calling card
caser to place; to stow, pack away
casque *m.* helmet
casquette *f.* cap
cassant à grands plis falling in large pleats
casser to break down; to crack;
caténaire catenary (having the shape taken by a cord or wire which hangs freely between two points of support, as the cables in a suspension bridge)
céder (à) to surrender to; to cede to; to yield to
ceint (de) girded with
ceinturer to surround; to girdle

cellule *f.* cell
cendre *f.* ash
cendré ashen
cerisier *m.* cherry tree
certes without a doubt, certainly
chahut faire du– to raise Cain
chair *f.* flesh
chaise *f.* **–de jardin pliante** folding garden chair
chamarré gaudily adorned
chambranle *m.* frame, casing (*of a door*)
chandail *m.* sweater
charbon *m.* coal
charbonneux sooty; coal black
chargé laden
charpenter to construct; to plan
chauffage *m.* heat
chaumière *f.* thatched cottage
chaussée *f.* roadway, causeway
chef de gare *m.* stationmaster
chemin *m.* road; distance
cheminée *f.* fireplace
chercheur *m.* scholar; researcher
chevet *m.* chevet (*of a church*)
cheville *f.* ankle
chiffonné rumpled, crumpled
chiffre *m.* number, digit
choc *m.* bump, jar
chuchotement *m.* whispering; rumor
ciel bas *m.* low-hanging clouds
ciment *m.* cement
cintre *m.* coat hanger
ciré waxed
citation *f.* quotation
(se) clairsemer to become thin, sparse
claquement *m.* clapping
claquer to click; to clap
clarté *f.* light
clavier *m.* keyboard
cliché *m.* (negative) print; **sépia** plate or print, sepia exposure

cligner to wink
clignotant blinking, squinting
clocher *m.* bell tower
clocheton *m.* bell turret
cloître *m.* cloister
coiffe *f.* cap
coiffeur *m.* barber
col *m.* collar; **–dur** starched detachable collar
colle *f.* glue
coller to stick; to adhere
collier *m.* necklace
colline *f.* hill
colmater to stuff
colon *m.* colonist
colonne vertébrale *f.* spine; (*fig.*) central purpose
commander to order
commerce *m.* interchange
commode *f.* dresser
compatissant compassionate
comporter to include; to involve, entail
compte se rendre– to realize
compteur *m.* meter
comptoir *m.* counter; bar
concours *m.* contest; academic competition
conçu conceived
conducteur *m.* driver
confession *f.* religious denomination
confondre to confuse; **se–** to be mixed up, confused
confronter to compare
conseiller *m.* **–culturel** cultural attaché
conséquent par– consequently
consigne *f.* check room, baggage room
consigner to record, write down
constatation *f.* establishment (*of fact*), verification
constater to find; to notice, see

conte *m.* tale, story
contenu *m.* content
conteur *m.* storyteller, narrator
contourner to go all the way around
contrôleur *m.* conductor
convaincre to convince
convenable fitting, suitable
convenir(à) to be suitable; to be pleasing
copeau *m.* wood shaving
corde *f.* rope
cordon *m.* string
corne *f.* horn
cotonneux, -euse fluffy
couche *f.* layer
coude *m.* elbow
coulant fluent; easy-flowing
coulée *f.* flow, pouring; streak
couler to flow
couleur de jonquille fanée pale yellow
coulissant sliding
couloir *m.* corridor; coin– seat next to the corridor
coup *m.* jeter un–d'œil to glance at; –d'epaule shoulder-thrust; –sur– one after another
coupole *f.* cupola, dome
coupure *f.* editing; cut(ting)
cour *m.* –de récréation playground; –de caserne barracks' courtyard
courant *m.* current; –d'air draft; *adj.* current, present; année courante present year
courbé hunched
courroie *f.* strap
cours *m.* –du temps course of time
couture *f.* seam
couvent *m.* convent
couvercle *m.* lid, top
couverture *f.* cover; blanket
couvre-chef *m.* headgear

couvre-feu *m.* curfew
crachotis *m.* sputtering
crépi rough-cast
crépuscule *m.* twilight
crête *f.* crest
creux, -euse hollow
crin *m.* –de cheval horsehair
crisper to clench
crispé nervous, on edge, tense
crissement *m.* grating, grinding
croisée *f.* crossing
croisement *m.* crossing, intersection
croiser to cross; to pass by; dé– to unfold
croix *f.* –de fer iron cross; military decoration
croûte *f.* scab
cuir *m.* leather
cuivré coppery
cyclamen cyclamen-colored

dallage *m.* flagstone paving
dalle *f.* flagstone; slab
débit *m.* shop; –de boissons pub
déborder to overflow
(se) débrouiller to get along, adapt oneself
déboucher to come from, emerge
décalage *m.* displacement, shift
décharger to unload
déchiffrer to decipher, make out
déchiré torn
déchirure *f.* tear, rip
(se) décider to make up one's mind
(se) déclencher to go off
décolleté low-cut (*of dresses*)
découdre to rip up, unstitch
découper to outline
découpure *f.* (newspaper) clipping; cut-out in paper
décrassage *m.* cleaning up
décrire to describe

décrocher to take down
défait defeated; unstitched
défiler to defile; to file off
défunt *m.* deceased person
(se) dégager to free oneself
dégarni bald
dégarnir to thin; to strip
délassement *m.* relaxation
délié thin, slender
délité split, cracked
délivrance *f.* relief
délivrer to free
démarche *f.* gait; demeanor
démarrer to start off
démesurément beyond measure
demeure *f.* place of residence
demeurer to remain
dentelle *f.* lace
dénuder to lay bare
dépasser to pass beyond, go beyond
dépenaillé ragged, tattered
dépit en–de in spite of
déplacement *m.* moving; traveling; displacement
déplier to unfold; to stretch out
déployer to unfold
déposer to put down, set down
(se) dépouiller to shed (*as leaves*); to become bare
déranger to bother, disturb; to unsettle; **se–** to move from one's place
dérèglement *m.* wildness, riotousness
dérisoire ridiculous; pitiful
déroulement *m.* **en plein–** in full swing
dérouler to undo; **se–** to unwind, unfurl; to take place
déroutant confusing, disconcerting
dès lors from then on
désarroi *m.* disarray, disorder, confusion
désigner to specify; to designate
désolé sorry

désormais from then on, henceforth
(se) détacher (sur) to stand out in relief
(se) détendre to relax
(se) détourner to turn away
déverser to let out; to discharge; to pour out
deviner to guess; to feel the presence of
dévisager to look (someone) over; to survey; to study (someone); to stare at
deviser to chat, talk, gossip
dévoiler to unveil
dévot *m.* devout person, pious person
diapason *m.* pitch; style; tuning fork
dictame *m.* dittany; balm
digne worthy
discontinu *m.* discontinuity
discours *m.* speech
disette *f.* time of famine, lean times
dispositif *m.* arrangement of monuments, layout; ensemble
disposition *f.* arrangement, placement
disque *m.* record
(se) dissoudre to dissolve
distancer to outdistance
divers various
divertissement *m.* diversion; amusement
docte learned
don *m.* **faire–à** to present a gift to
donjon *m.* dungeon, castle keep
donnée *f.* datum; basis; groundwork
donner (sur) to open onto
dos *m.* back
dossier *m.* back (*of a chair*); folder
douane *f.* customs
doublure *f.* lining
(se) douter (de) to suspect;

presque sans s'en– almost without knowing it
douve *f.* moat
drap *m.* sheet
durci hardened
durée *f.* length of time

éboulé crumbled down, fallen in
ébranler to circulate; **s'–** to move off, get under way
écaille *f.* shell
écart *m.* **à l'–** out of the way
écarter to spread open; **s'–** to be spread out
échalas *m.* stake, pole
écharpe *f.* scarf; **–de soie** silk scarf
(s') échauffer to become heated
échelle *f.* scale; level
échouer to fail
(s')éclabousser to splash about
éclaboussement *m.* splashing
éclaboussure *f.* splash
éclairage *m.* lighting
éclaircie *f.* break (*in a storm*)
éclairer to enlighten; **s'–** to be lit up
éclater to shine, blaze out
écorce *f.* bark
écossais Scottish; **toile écossaise** plaid
écoulement *m.* outflow; flood
(s') écouler to slip away (*time*); to elapse
écran *m.* screen
écraser to crush; to flatten out; to misshape
écriture *f.* writing
(s') écrouler to slump; to collapse
écume *f.* foam
effacer to smooth out; to erase, eliminate; **s'–** to fade away
efficacité *f.* effectiveness
effondrement *m.* collapse

(s') efforcer (de) to strive to; to attempt to
égard *m.* **à certains égards–** in some ways
s'égarer to go astray, get lost
(s') élargir to spread out
électuaire *m.* remedy prepared by mixing powders with honey
éloigné distant; separated
(s') éloigner to withdraw, draw away
émail *m.* enamel
émailler to enamel
embrasure *f.* recess
(s') embrouiller to become tangled
émerveillement *m.* wonder, amazement
éminemment prominently, to a high degree
(s') émouvoir to get excited, alarmed
empêcher to prevent, stop
empeser to starch
emplacement *m.* place
emplettes faire des– to do some errands, go shopping
employé *m.* railwayman
empreinte *f.* imprint
(s') empresser to hurry, hasten
enceinte *f.* enclosure
enclos *m.* orchard; enclosure
encoignure *f.* corner; angle
encombrer to block, clutter; to be in the way
endormir –les enfants to put the children to bed
endroit *m.* spot, place
enduit *m.* coating
enfermé enclosed
enfilade *f.* line, row
enfiler to get into, slip into (*as clothes*); to travel along (*a street*); **s'–dans** to worm one's way in

enfoncer to stick in, put in; **s'—** to sink into; to penetrate; **—ses mains dans ses poches** to stick one's hands in one's pockets

(s')enfoncer (*fig.*) to be buried

(s')enfuir to run away; flee

enfouissement *m.* burial

engagement *m.* involvement

engager to urge; excite

engendrement *m.* begetting; formation

(s')engloutir to be engulfed

engoncé bundled up

engourdissement *m.* torpor; numbness

enjambé straddled

enlever to take off

enquête *f.* inquiry; investigation

enregistrer **—la correspondance** to check the mail

enrobé coated

enseigne *f.* sign

ensoleillé sunlit; sunny

entendu sous— understood

enterrer to bury

entêtant intoxicating

entorse *f.* sprain

entourer to surround

entrebâillement *m.* narrow or slight opening

(s')entrecroiser to interlace; to intersect

entremêler (de) to (inter)mingle with; (inter)mix with

(s')entretenir (avec) to chat with

(s')entr'ouvrir to half-open

envahir to invade; to seize

envahisseur *m.* invader

environs *m. pl.* surroundings; vicinity

envol *m.* flight

épais, -sse thick

épaisseur *f.* thickness

épaissir to spread; to thicken (*as shaving cream*); **s'—** to become tenser

épée *f.* sword

épicerie *f.* grocery store

épineux, -euse prickly; thorny; spiny

éponge *f.* sponge

(s')éponger to sponge oneself

épuisé worn out; exhausted

épuiser to empty

équipe *f.* team

équivoque *f.* ambiguity

escalader to clamber over

escale *f.* **faire une—** to make a brief landing; stopover

escarbille *f.* cinder

espoir *m.* hope

esquisser to stretch

essoufflé winded; out of breath

essuie-glace *m.* windshield wiper

(s')essuyer to dry oneself

étagère *f.* shelf

(s')étaler to be displayed; to extend, stretch out

étamine *f.* stamen

étape *f.* stopping place; stage

éteint turned out; extinguished; with the lights out

(s')étendre to spread out; extend

étendue *f.* expanse; extent

étincelant dazzling; sparkling

étiquette *f.* label; brandname

(s')étirer to stretch out

éveiller to awaken; to arouse

(s')étonner (de) to be astonished at

éventail *m.* fan; spread

(s')éventer to fan oneself

éventré ripped open

éviter to avoid

exemplaire *m.* copy

exigence *f.* necessity; exigency

expédier to send off

face   face à face   face to face; **–à la marche**   facing the direction of the train

faïence *f.*   earthenware

fait *m.* **de–**   in fact; as a matter of fact

fané   withered; wilted

fard *m.*   cosmetics

farouche   wild; fierce

faubourg *m.*   outlying district

faux, -sse   false

fente *f.*   crack

fermeture éclair *f.*   zipper

fétu *m.*   straw

feuillet *m.*   leaves (*of paper*)

feuilleter   to leaf through

ficelle *f.*   string

fiche *f.*   ticket

fichu *m.*   neckerchief

ficus *m.*   fig tree

fier   to entrust; **se — à**   to put trust in

fil *m.*   thread; **au–de la plume** fluently

file *f.*   line

filé   refined

filer   to travel

filiforme   threadlike

filigrane *f.*   watermark

filtre *m.*   filter

fissure *f.*   crack; split

flanc *m.*   side (*of a hill*)

flâner   to walk about idly; stroll

flaque *f.*   puddle; **–de lumière** gleaming mass of light

flèche *f.*   arrow

floraison *f.*   blossoming

flot *m.*   wave; wavy mass

flotter   to flutter; to float; to waver

flux *m.*   flood

fond *m.*   content (*of a work of art*); **sur un–de**   on a background of

fondre   to melt

fonte *f.*   cast iron

fossé *m.*   gulf; ditch

fouille *f.*   excavation; dig

fouiller   to dig; to go through

fouiner   to pry about; nose about

fourbu   worn out

fourreau *m.*   case; cover

fourrer   to stuff

foyer *m.*   source; focus; center

fraîcheur *f.*   coolness

franchir   to cross

frange *f.*   fringe

frapper   to knock; to tap

frauduleusement   fraudulously; under false pretenses

frayer se–un passage   to break one's way through, push one's way through

frère *m.* **–lai**   lay brother

frileux, -euse   sensitive to cold

froissement *m.*   crumpling

frôler   to brush

frotter   to rub

fuir   to flee

fuite *f.*   flight

fumer   to smoke

fumeux, -euse   hazy, smoky

fût de conifère *m.*   conifer trunk

futaie *f.*   wood (*of tall timber trees*)

gagner   to attain; to earn

gaillard *m.*   husky fellow

gaine (de papier) *f.*   (paper) cover

gainer (de)   to sheathe in

galalithe *f.*   galalith

galerie *f.* **–marchande**   roofed mall of shops

galet *m.*   seashore pebble

gamelle *f.*   tin can

gargote *f.*   bad restaurant

gauchissement *m.*   distortion

gave *m.*   mountain torrent

gazonné   turfed, grassy

geler   to freeze

gémir   to complain about; to moan

gémissement *m.* moaning
gêner to bother; to hinder
Gênes Genoa
gîte *m.* lodging
glace *f.* ice; ice cream
glaner to glean
glisser to slide; to slither; to glide; to pass over lightly
glissière *f.* groove
gluant sticky
gonds *m. pl.* hinges
goudron *m.* tar-paved road
goût *m.* taste
goutte *f.* drop; **gouttelette** *f.* tiny drop
goutter to drip
gouttière *f.* gutter
grâce à thanks to
gradin *m.* step; ledge; tier
graine *m.* seed
grappe *f.* cluster
grave serious; important
grille *f.* iron gate; iron bars
granuleux, -euse granulous
gras, -sse fat
gratter to scratch
graver to engrave
gravir to climb on
gré *m.* will
grès *m.* sandstone; stoneware
grésillement *m.* crackling; sputtering; sizzling
grincer to creak
grisâtre grayish
grisonner to turn gray
grondement *m.* rumbling
gros en– in a rough fashion
grossier, -ière rough, coarse
grossièreté *f.* coarseness, crudeness
grossissant magnifying
grelotter to shiver
grouillant swarming
grumeleux, -euse lumpy; knotted

guet *m.* lookout; **l'oreille au–** straining to hear
guetter to be on the lookout for, watch for
gueule *f.* mouth (*of an animal*)
guichet *m.* registration desk (*of a hotel*); ticket window

haillon *m.* rag; **–de scolarité** tatters of school policies and regulations
halètement *m.* panting; gasping;
haletant *adj.* panting
hampe *f.* staff
happer to snap up, swallow
(se) hâter to hasten
hauteur à mi– halfway up
haut-parleur *m.* loudspeaker
hebdomadaire *m.* weekly paper or magazine
herbe *f.* grass
hérissé bristled up, ruffled
(se) heurter to collide; run into
hirsute hairy; shaggy
hisser to hoist
historicité *f.* historical interest
hocher to shake
horaire *m.* schedule
horloge *f.* clock
hôte *m.* host; guest
houille *f.* coal
houle *f.* **–de foule** swells of crowds
hululation *f.* hooting sound; howling

ignominie *f.* disgrace; dishonor
ignorer to be ignorant of; to be unaware of
îlot *m.* small island
immanquable inevitable; unavoidable
immeuble *m.* building
imperméable *m.* raincoat
imperméabilisé waterproof

impitoyablement pitilessly; relent-lessly

impliquer to imply

(s')imposer to be essential; neces-sary; to command attention; to make one's personality felt

inattendu unexpected

incongru improper

incrusté studded

indicateur *m.* (**de chemin de fer**) (railway) timetable

indiciblement inexpressibly

indu unseemly

industrie *f.* zeal

inépuisable unlimited; inexhaust-ible

infructueux, -euse fruitless

initiales frappées stamped initials

inlassablement tirelessly; unweary-ingly

inondé flooded

(s')inquiéter to get worried

(s')inscrire to be registered

insensibilité *f.* insensitivity

insigne sign; badge; mark

(s')insinuer to work one's way out; to creep out

(s')installer to settle oneself

insupportable intolerable

intérieur à l'— inside

(s')interdire to forbid oneself

intermédiaire *m.* **par l'—de** by the instrumentality of; through the channel of

(s')introduire to squeeze one's way into

inutile useless; needless

inverse en sens— in the opposite direction

irisé iridescent

jacassement *m.* chattering

jaillir to burst forth; spring forth

jalonnement *m.* staking-out; mark-ing-out

jalonner to serve as a landmark; to mark out

jappement *m.* yelping

jaunâtre yellowish

jeter **—un coup d'œil** to cast a glance

jeu *m.* plan; action; working

joie *f.* **faire la —de** to delight

joue *f.* check

jouir to enjoy

jour de— by day, during the day-time

journal *m.* diary; **tenir un—** to keep a diary

juxtaposer to juxtapose, place side by side

lâche loose

lacune *f.* hiatus; gap

laine *f.* wool

laitier *m.* milkman

laïus *m.* speech

lamelle *f.* thin sheet; flake

lampadaire *m.* lampstand

lancer to throw; hurl; **un cri** to cry out; **—un appel** to call out

(se)lasser to grow tired; **las, -sse** tired, weary

latence *f.* latency

lauréat *m.* prizewinner

lavabo *m.* restroom

lenteur *m.* slowness

lessive *f.* washwater; **—d'or** golden washwater

lester to fill

lézarde *f.* crack; crevice

lézarder to split; to crack; **lézardé** crannied

liaison *f.* union; connection

liasse *f.* packet; wad

lier to bind

lieue *f.* league

limaille *f.* filings

limier *m.* bloodhound; (*fig.*) sleuth

linge *m.* laundry; wash
linteau *m.* (*pl.* -eaux) transom
lit *m.* —de camp cot
Livourne Livorno
location *f.* reservation
lointain *m.* distance; *adj.* far away
longer to run along
longuement deliberately
lorsque when
(en)losanges diamond-shaped
lubrifier to lubricate
lucarne *f.* dormer window
lueur *m.* gleam; ray; flash; glitter
lui-même s'arrêter de— to stop of
his own volition
lumière *f.* light
lunettes d'écaille *f. pl.* tortoise-
shell eyeglasses
lycéen *m. lycée* student; high
school student
lys *m.* lily

maçonnerie *f.* masonry
magistral masterful
maint many; all sorts of
maintien *m.* maintenance
mairie *f.* town hall
malaxé mixed in
mallette *f.* suitcase
malmener to knock about, handle
roughly
manches en—de chemise in shirt
sleeves
manivelle *f.* crank (*of a car*)
manquer to be missing; **manquer
de quelques minutes** to miss by a
few minutes; **il manque deux
doigts** two fingers are missing
marche *f.* step
marcher to go on
marin *m.* sailor
marquer —les bêtes to brand animals
marquise *f.* glass awning

mat *m.* mast
matin *m.* **au petit—** early morning
mausolée *f.* mausoleum
(se)méfier (de) to distrust, lack
confidence in
mêler to mix; **se—à** to mingle
with
mélopée *f.* monotonous chant
mendier to beg
mener —à bien to bring to fruition
mensonge *m.* lie
menton *m.* chin
mépris *m.* scorn
mesure *f.* **dans une—** to a certain
extent; **à—que** as, in proportion as
mettre —en garde to warn
meublé furnished
meulière *f.* grindstone; millstone
minime very small, tiny
ministre *m.* **premier —** prime minister
minutieux, -euse minute; punctili-
ous
mode *f.* way; manner; **—de puissance** power of influence
moisi moldy
moleskine *f.* imitation leather
mollet *m.* calf (*of the leg*); **à mi—**
up to midcalf
montrer —des yeux to show with
one's eyes
moulure *f.* molding
mouche *f.* fly
moucheron *m.* gnat
mousse *f.* foam
mousson *m.* monsoon
mouvementé busy
munir (de) to provide with
mur *m.* **—de terre** mud or earthen
walls
mûr ripe
muser to dawdle; idle

nacre *f.* mother-of-pearl; *adj.* color of mother-of-pearl
nappe *f.* tablecloth; **—de silence** (*fig.*) layer of silence
narine *f.* nostril
narré related, recounted
nettement decidedly, definitely
nettoyer to clean
nickelé nickel-plated
niveau *m.* level
nodosité *f.* knottiness
nouer to tie
noyau *m.* pit
nu naked, bare
nullement not at all, by no means

œillet *m.* carnation
officine *m.* chemistry lab
ombrelle *f.* parasol
onde *f.* wave
onomatopée *m.* onomatopoeia
opéré brought about, executed
orage *m.* storm
ordre m. **—prévu** routine order
orme *m.* elm
orteil *m.* toe
oser to dare
ossature *f.* skeletal frame
osseux, —euse bony
oubli *m.* forgetting; oversight, omission
outil *m.* tool
outre besides
ouvrir **—(la porte) en grand** to open (the door) wide

pagne *m.* loincloth
paillasse *f.* straw mattress
paille *f.* straw; *adj.* **jaune paille** straw-colored
palier *m.* landing
palissade *f.* fence
pan *m.* coattail
pancarte *f.* placard; poster; sign

panne *f.* breakdown (*of a car*)
panneau *m.* panel
pantoufle *f.* houseshoe; slipper
papier *m.* **—huilé** oiled paper
paquet *m.* packet; package
paratonnerre lightning rod
parc *m.* **—à bœuf** corral for oxen
parcours *m.* distance; course; trip; transit
parcourir to travel
parfois sometimes; now and then; from time to time
paroi *f.* wall
part *m.* **de—et d'autre** on both sides; **à—** except
partie *f.* **faire—de** to belong to
partir **à—de** from
parvenir to succeed; to reach; **faire—à** to send; mail; ship
passant *m.* passer-by
patauger to wallow; to flounder
paume *f.* palm
paupière *f.* eyelid
pauvreté *f.* poverty
pavillon *m.* room
payer **se—un verre pour attendre** to get a drink while waiting
peau *f.* **—de porc** pigskin
peigner to comb
peine **à—** hardly; **sous—de** at the risk of
peiner to struggle
peint painted
pelage *m.* fur hair
pèlerin *m.* pilgrim
pèlerinage *m.* pilgrimage
pelouse *f.* lawn
(se)pencher to lean over
pendu hanging
péniblement painfully
pente *f.* steep hill; incline
pépiement *m.* cheeping
percevoir to be aware
périple *m.* journey; trip

perler to sparkle (*like pearls*)

permanence *f.* ticket agency

permutation *f.* exchange; mutual transference

personnage *m.* character (*in a play, novel, etc.*)

perspicace discerning

pétrole *m.* oil

peu —à— little by little

phalange *f.* phalanx

phare *m.* headlight

piètre wretched; poor

pilier *m.* pillar

pilotis *m.* piles

pince *f.* —de bois wooden clothes-pin

pincée *f.* pinch; sprinkle

piocher to dig

piquer to sting

piriforme pear-shaped

piste *f.* runway

placage *m.* plating; finish

place *f.* square

plafonnier *m.* light fixture

plainte *f.* complaint

plan *m.* venir au premier— to come to the fore

plant de canne *m.* sugar cane

plaque *f.* —de fonte cast-iron sign; —de cuivre copper sign

plein *m.* space filled with matter; plenum

(à)plein fully

pli *m.* wrinkle; crease

plier to fold

plomb *m.* lead (*metal*)

plonger to dive; plunge

plus de—en— more and more

pluvieux, -euse rainy

pneu *m.* tire

poignée *f.* handle; grip; doorknob

poignet *m.* wrist

poil *m.* hair; nap; bristle

poilu shaggy

poinçonner to punch

pommette *f.* cheekbone

porc *m.* pig

porche *m.* —à colonnettes portal with small columns

portail *m.* portal

porte-document *m.* portfolio

porte-parole *m.* spokesman

portée *f.* stave (*music*)

portière *f.* door (*of a train, taxi*)

poteau *m.* pole; post

potence *f.* bracket (*of a sign*)

pouce *m.* thumb

poursuivre to pursue

pourvu que provided that

poussée une étude— an exhaustive study

pousse-pousse *m.* ricksha

pousser —les boutons to make buds grow (*of trees, etc.*)

poussière *f.* dust; —de charbon agglomérée dust of compressed coal

poutrelle *f.* small beam

praticien *m.* —de médecine spagirique practicioner of medicine based on chemistry

pré *m.* meadow

près de almost

précipiter to push headlong; se— to hurry; hasten; rush

préciser to define; to determine precisely

prélèvement *m.* sample

prescription *f.* command

prévenir to inform

pression *f.* à—forte under high pressure

prévu foreseen

procéder to flow; to rise from

processus *m.* process

proche de—en— by degrees

prodige *m.* prodigy

prodigieusement prodigiously, amazingly

(se)produire to occur; come about; to take place

profané desecrated; violated

profiter (de) to take advantage of

profondeur *f.* profundity; depth

projet *m.* plan; project

prolongement *m.* prolongation; extension

pronominal using pronouns

propos *m.* talk; remark; **être à–** to be suitable

propreté *f.* cleanliness

propriété *f.* property

prosodie *f.* prosody (*study of versification and components of poetic structure*)

provenir (de) to come from; result

provisoire temporary

prunier *m.* plum tree

purin *m.* liquid manure

quadrige *m.* quadriga (*a team of four horses*)

quai *m.* platform

quasi almost

quelque (*invar.*) about

quinquet *m.* argand lamp

quitter to leave; to abandon

quotidien, -enne daily

racine *f.* root

raccrocher to attach, hook up; to lay hold of something once again

râcler to scrape

racornir to shrivel up

raffinerie *f.* refinery

rafler to carry off

raide stiff; **raidi** stiffened

raie *f.* stripe; line

rainure *f.* groove

ralenti *m.* **au–** at a slow pace

ralentir to slow down; to slacken

ralentissement *m.* slackening; slowing down

ramasser to pick up

ramure *f.* branches

rangée *f.* row

ranger to put away

râpé threadbare

rapeux, -euse prickly; harsh

rapiécé patched up

rapport par–à in connection with

(se)rapporter (à) to refer to

(se)rapprocher to draw near

ras *m.* **au–du sol** at ground level

(se)raser to shave

(se)rassembler to gather together

(se)rasseoir to sit down again

rattraper to catch up; to recapture; recover

rayonnant radiating

rayure *f.* streak; stripe

réaliser to attain, reach; to accomplish

rebord *m.* **–d'une fenêtre** windowsill

recette *f.* recipe, formula

recharger to reload

recherche *f.* search

récit *m.* account, narrative

recoin *m.* nook

réconforter to comfort

recueillir to absorb, take in

recours *m.* recourse

reculer to go back; to retreat, draw back

rédiger to compose; to write

redingote *f.* coat

(se)redresser to straighten up; to hold oneself erect

réduire to reduce; **en être réduit à** to be reduced to, forced to

(se)réfléchir to reflect

regarder à y–d'un peu près if one only gives it a close look

régler to settle

reins *m. pl.* loins
(se)relâcher to become loose
relent *m.* bad oder
relever to raise
relier to bind (*a book*); to tie together
reliquaire *m.* reliquairy (*small case or box for displaying or preserving a relic*)
remblai *m.* embankment; filling-in
rembourser to pay back; reimburse
remémoration *f.* remembrance
remonter to go back up; to wind up
remorque *f.* wagon
remplacer to replace
remuement *m.* moving; stirring
rencontré met
rendre   se–à l'évidence to be forced to accept the fact
renfiler to put back on
renseignements *m. pl.* information
(se)renseigner to inform oneself (*about a subject*)
renversé tilted back
renversement *m.* inversion; reversal
renvoyer to refer
(se)répandre to spread
repasser to pass by again; to press, iron
repérer to single out
répit *m.* respite
replet, -ète plump
repli *m.* fall, fold
(se)replier to double back; to turn around
(se)reporter (à) to refer to
reposer to rest
reprendre   –une phrase to quote a saying
(se)reprendre to start again; to correct oneself
reprise *f.* renewal, resumption

réseau *m.* net
respirer to breathe
resserre *f.* storeroom
resserrer to tighten; **se–** to restrict oneself; to become narrower
retarder to postpone; **–un voyage de** to postpone a trip by
retenir to reserve
retenu reserved
(se)retirer to withdraw
retour *m.* return; **–en arrière** flashback
(se)retourner to turn around
retrousser to tuck up
retrouver to rediscover
réussir (à) to succeed in
réussites *f.* **faire des réussites** to play patience (*card game*)
réverbère *m.* street lamp; reflector
réviser to overhaul (*a car*)
ride *f.* wrinkle
rideau *m.* **–de fer** iron curtain; safety curtain
rivaliser (avec) to vie with, compete with
rive *f.* bank, shore
rizière *f.* rice field
robinet *m.* faucet
rôle *m.* **jouer un–** to play a part
ronger to bite, chew; to eat away
rougeaud ruddy
rougir to blush
rouille *f.* rust
roulade *f.* trill
roulement *m.* **–de tonnerre** clap of thunder
roussi scorched; discolored
roux, -sse reddish-brown, russet
ruban *m.* ribbon
ruelle *f.* alley; narrow street
(se)ruer to rush
rugueux, -euse rough; weathered
ruisseau *m.* stream

ruissellement *m.* stream of water; downpour

saccadé jerky
saisir to seize
sale dirty
sapin *m.* fir tree
sauce *f.* **–au piment** chili sauce
saule *m.* weeping willow
saupoudrer to sprinkle
saut *m.* bound, leap
sautillant hopping; jumping
sauver to save
savane *f.* savannah; thick forest
savant learned
savoir *m.* knowledge
savoir **en–long** to know a lot about; **–par cœur** to know by heart
scellé sealed
scène *f.* stage
(à)sec dry
sécher to dry
séchoir *m.* drying rack
secours *m.* help
secousse *f.* jolting
séjour *m.* stay
selle *f.* saddle
semblable (à) similar to
sens *m.* direction
sensible sensitive; **rendre–** to make sensitive
sentier *m.* path; **–battu** beaten path
seriner to drill; to repeat
serrer to tighten; **–la main** to shake hands; to clutch
serrure *f.* lock
serviette *f.* briefcase
servir **–de rien** to be useless
seuil *m.* threshold
sifflet *m.* whistle
siffler to whistle
sigle *m.* sigla
signaler to mark

signet *m.* bookmark
sillon *m.* wake, path
singe *m.* monkey
singulier, -ière uncommon; peculiar
sinueux, -euse winding
soubresaut *m.* jerk; jolt
soie *f.* silk
soigneux, -euse careful; respectful
sommaire brief; succinct
sommeil *m.* **demi–** state of being half asleep
sonnerie *f.* ringing
sottise *f.* stupidity
soucieux, -euse anxious, worried
soucoupe *f.* saucer
souffler to blow; to take a deep breath
souhaiter to wish
souiller to stain
soulager to relieve
souligner to underline; to emphasize
soupçonneux, -euse suspicious
soupirer to heave a sigh
soupir *m.* sigh
souplesse *f.* flexibility; versatility
sournois deceitful; sly; sneaky
sous-alimentation *f.* undernourishment
sous-conversation *f.* undercurrent of conversation
sous-sol *m.* basement
soutenir to sustain
(se)souvenir (de) to remember
soyeux, -euse silky
spectre *m.* spectrum
station thermale *f.* spa
stationner to park; stand around
stèle *f.* stele, monolithic monument which marks a tomb
stridence *f.* harsh; shrill sound
suffisamment sufficiently

subir to undergo; to endure; to experience

suivre to follow; **il s'en suit que** it follows that

superposition *f.* superimposition

supplier to supplicate

surgissement *m.* upheaval

surlendemain *m.* the day after the morrow, two days later

surmonté topped; crowned

surprenant surprising

survoler to fly over

tableau *m.* table; list

tablier *m.* apron

tabouret *m.* stool

tache *f.* spot; stain

tacher to spot, stain

taillé —à la faux cut with a scythe

taillis underbrush; thicket

tambour *m.* drum

tamisé filtered; screened

tandis que while

taper to knock

tapir to cower

tapis *m.* rug; cover; strip

tapissé (de) lined with

tarder to delay; to be long

teint *m.* **—de guerre** wartime face

teinture *f.* tincture

temoigner (de) to give evidence of; attest to

tempe *f.* temple

temporel, -elle transient; fleeting

temps de—en— from time to time

tendre to hold out

tendu tense; stretched; tight

tenir se —debout to remain standing; **—compte de** to consider

tenter (de) to try to

tenture *f.* hangings; tapestry

terne dull; opaque; dim

tertre *m.* hillock

théière *f.* teapot

thermes *m. pl.* public baths

thésauriser to hoard up

tige *f.* stem

tintamarre *m.* din, racket

tintement *m.* ringing; tinkling; clinking

tissage *m.* weaving

tissé woven

toile *f.* **—cirée** oilcloth

toit *m.* **—d'ardoises** slate roof

tôle *f.* sheet iron

tombeau *m.* tomb

torchon *m.* dish cloth; **—essuie-voitures** cloth for wiping cars

tordre to twist; **se—** to twist; to wriggle

touffe *f.* bunch; cluster

tour *m.* **à son—** in his turn

tourbillon *m.* whirlwind; swirl

tourbillonnement *m.* swirling

tout aussi vide que just as empty as

traîner to loiter, hang around; to lie around; **—par terre** to drag on the floor

trait *m.* feature, trait; **les traits tirés** a drawn look

trame *f.* woof; **la—de la couverture s'est relâchée** the woof of the blanket has become loose

tranche *f.* edge; **à—dorée** gilt-edged

tranchée *f.* trench; clearing

transparaître to show through

transpercer to cut through; to pierce

transpirer to perspire; sweat

trapu thick

travail *m.* **—romanesque** work of the novelist

tremble *m.* aspen tree

trempé drenched; soaked

tressautant jumping

tringle *f.* rod; wire

tronc *m.* trunk
trottoir *m.* sidewalk
troupeau *m.* pack; herd; flock
trousse *f.* —de toilette toiletries
trouver se —aux prises avec to be at grips with
truffé stuffed
truqué sham; false
tuer to kill
tumulus *m.* barrow
tuyau *m.* pipe; hose
(s')user to wear oneself out

valise *f.* —à l'impression bleue suitcase with blue lettering
vallonné rolling; hilly
vannerie *f.* wicker
vantail *m.* panel (*of a folding door*)
vedette *f.* star; leading figure
veille *f.* the day before
veilleuse *f.* night-light
vélo *m.* (*fam.*) bike
vélomoteur *m.* motor-bike
ventre *m.* stomach
véritablement truly
vermoulu worm-eaten
verser to pour
vertigineux, -euse dizzy; whirlwind

veste *f.* jacket
veston *m.* jacket
vide *m.* void; vacuum
(se)vider to become empty; qui s'était vidée entre temps which had become empty in the meantime
vieillard *m.* old man
virer to steer
visage *m.* face
visite *f.* —de la douane customs' formalities
visser to screw; to bolt
vite au plus— as fast as possible
vitre *f.* windowpane
vitrine *f.* shop window; show window
vociférer to shout; to bawl
voie *f.* track; —ferrée railway; —d'accès accession path
volant *m.* steering wheel
volet *m.* shutter
voûte *f.* dome; vault
voyage *m.* —de noces honeymoon, wedding trip
vraisemblance *f.* likelihood
wagon *m.* coach, car; —restaurant dining car

zébrure *f.* streak; stripe